Lehrbuch

Klasse! 2

This book is due for

Corinna Schicker
Sheila Brighten

OXFORD
UNIVERSITY PRESS

UNIVERSITY PRESS

Great Clarendon Street, Oxford OX2 6DP

Oxford University Press is a department of the University of Oxford. It furthers the university's objective of excellence in research, scholarship, and education by publishing worldwide in

Oxford New York

Athens Auckland Bangkok Bogotá
Buenos Aires Cape Town Chennai
Dar es Salaam Delhi Florence Hong Kong
Istanbul Karachi Kolkata Kuala Lumpur Madrid
Melbourne Mexico City Mumbai Nairobi Paris São
Paulo Shanghai Singapore Taipei Tokyo Toronto
Warsaw

with associated companies in
Berlin Ibadan

Oxford is a registered trade mark of Oxford University Press in the UK and in certain other countries.

Acknowledgements

The publishers would like to thank the following for permission to reproduce photographs: p 10 Telegraph Colour Library, p 44 Travel Ink/D Toase, p 53 Rex Features, p 61 Corbis UK, Hutchison Picture Library/ L Taylor, p 68 Telegraph Colour Library (left), Travel Ink/M Yamasaki (bottom right), p 72 Corbis UK, p 80 Travel Ink/M Wilson (top right), Corbis UK (centre left & right), Hutchison Picture Library/T Souter (left), Telegraph Colour Library (bottom right), p 86 Hutchison Picture Library (centre left), pp 87 & 88 Corbis UK, p 103 Corbis UK (top & left), p 119 Hutchison Picture Library/Horner (right).

Additional photography by Chris Honeywell, Martin Sookias and OUP.

Illustrations by Martin Aston, Phil Burrows, Stefan Chabluk, Clive Goodyer, John Hallett, Angela Lumley, Bill Piggins.

The authors would like to thank the following people for their help and advice: Sharon Brien (course consultant), David Buckland, Marion Dill, Petra Kopp (language consultants).

The publishers and authors would also like to thank Marietta Ohletz; her colleagues and pupils at Gesamtschule am Lauerhaas, Wesel; Atalay Gücer, Britta Lepschies, Angelique Pia, Kai Schmellenkamp and their parents.

Every effort has been made to contact copyright holders of material reproduced in this book. Any omissions will be rectified in subsequent printings if notice is given to the publisher.

A catalogue record for this book is available from the British Library.

Designed by David Oakley, Arnos Design.

Printed in Italy by G. Canale & C. S.p.A.

Willkommen!

Symbols and headings you'll find in this book: what do they mean?

[cassette icon] listen to the cassette with this activity

[two people icon] work with a partner

[group icon] work in a group

[dictionary icon] use a dictionary for this activity

[D ▶] go to this activity in your workbook

Grammatik im Fokus

an explanation of how German works

[144 ▶] refer to this page in the grammar section at the back of the book

Wiederholung
a reminder of something you have already learned

Noch mal! something extra to do, to back up what you have learned

Extra! something extra to do to extend what you have learned

Hilfe useful expressions

Viel Spaß! a song or game

You will learn how to ...
✓ a menu of what you will learn on these pages

Gut gesagt!
pronunciation practice

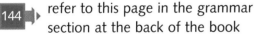 ideas and tips to help you learn more effectively

reading practice and project work at the end of each unit

Kannst du ...?
a checklist of the things you have learned in the unit

Inhalt

Anweisungen

Here are some of the instructions you will need to understand in _Klasse!_

Arbeitet in Gruppen. . . . . _Work in groups._

Beantworte ... . _Answer ..._

Beispiel: . . . . _Example:_

Benutze .... _Use ..._

Beschreib ... . _Describe ..._

Diskutiere ... . _Discuss ..._

Du bist dran! . . . . _Now it's your turn!_

Erfinde ... . _Make up ..._

Ergänze ... . _Complete ..._

Finde/Findet die passenden . . . . _Find the correct_
Bilder/Sätze. _pictures/sentences._

Finde/Findet die richtige . . . . . . _Find the correct_
Reihenfolge. _order._

Frag/Fragt ... . _Ask ..._

Füll die Lücken/Tabelle aus. . . . . _Fill in the gaps/table._

Gedächtnisspiel. . . . . _Memory game._

Hör gut zu. . . . . _Listen carefully._

Ist alles richtig? . . . . _Did you get_
everything right?

Kopiere ... . _Copy ..._

Korrigiere die falschen Sätze. . . _Correct the incorrect_
sentences.

Kreuz die passenden Namen an. _Tick the correct_
names.

Lies/Lest ... . _Read ..._

Lies mit. . . . . _Follow the text._

Lies noch einmal ... . _Read ... again._

Mach/Macht eine Umfrage. . . . _Carry out a survey._

Mach/Macht eine Kassette/. . . . _Make a cassette/_
ein Poster. _poster._

Mach/Macht Notizen. . . . . _Make notes._

Macht (weitere) Dialoge. . . . . . _Make up (more)_
dialogues.

Macht die Bücher zu. . . . . _Close your books._

Macht einen Wettbewerb. . . . . _Hold a competition._

Nach dem Lesen: . . . . _After reading:_

Nimm/Nehmt alles auf . . . . _Record everything_
Kassette auf. _on cassette._

Notiere/Notiert die . . . . _Note down the_
Antworten. _answers._

Ordne/Ordnet ... . _Put ... in order._

Organisiere/Organisiert ... . _Organize ..._

Rate ... . _Guess ..._

Ratespiel. . . . . _Guessing game._

Richtig oder falsch? . . . . _True or false?_

Sag/Sagt ... . _Say ..._

Schau/Schaut ... an. . . . . _Look at ..._

Schau im Wörterbuch nach. . . . _Look it up in the_
dictionary.

Schreib/Schreibt ... . _Write ..._

Schreib/Schreibt die . . . . _Write down_
Resultate auf. _the results._

Spiel ... . _Play ..._

Sprich/Sprecht ... . _Speak ..._

Tausche/Tauscht ... . _Swap ..._

Verbinde die Bilder. . . . . _Match up the_
pictures.

Vor dem Lesen: . . . . _Before reading:_

Wähle/Wählt ... . _Choose ..._

Was bedeutet das? . . . . _What does that mean?_

Was glaubst du? . . . . _What do you think?_

Was meinst du? . . . . _What do you think?_

Wie heißt das auf Deutsch? . . . _What's that in_
German?

Wiederhole. . . . . _Repeat._

Würfelspiel. . . . . _Dice game._

Zeichne/Zeichnet ... . _Draw ..._

Zeig/Zeigt ... . _Point to/Show ..._

Useful classroom language

Could you say that . . . . Wiederholen Sie das
again, please? bitte.

How do you pronounce it? . . . Wie spricht man das
aus?

How do you say ... in . . . . Wie sagt man ...
German? auf Deutsch?

How do you spell it? . . . . Wie schreibt man das?

I don't understand. . . . . Ich verstehe das nicht.

What activity is it? . . . . Welche Übung?

What page is it on? . . . . Welche Seite?

Die Klasse!-Clique

– das sind vier Freunde und Freundinnen aus Wesel.

Hallo! Ich heiße Jasmin. Ich bin 14 Jahre alt und ich wohne in Wesel. Ich habe eine Schwester und einen Bruder. Meine Hobbys sind Sport und Musikhören.

Jasmin

Ich bin Annika. Ich bin 13 Jahre alt und ich komme aus Wesel. Ich bin Einzelkind, aber ich habe einen Hund und eine Katze. Mein Hund heißt Otto und meine Katze heißt Micki.

Annika

Partner von
WESEL
am Rhein

FELIXSTOWE GB   HAGERSTOWN USA   SALZWEDEL D

Und ich heiße Sven. Ich bin 14 Jahre alt. Ich komme aus Chemnitz, aber ich wohne in Wesel – mit meinen Eltern. Ich habe zwei Brüder und drei Schwestern. Ich spiele gern Fußball und ich lese gern.

Mein Name ist Atalay. Ich komme aus der Türkei und ich wohne in Wesel. Ich bin 14 Jahre alt. Ich habe keine Geschwister – leider! Aber ich habe einen Wellensittich – er heißt Bubu!

Sven

Atalay

Die Klasse!-Clique
Folge 1

Jasmin: Wohin bist du im Sommer gefahren, Annika?

Annika: Ich bin nach Frankreich gefahren. Ich habe meine Brieffreundin Manon in Marseille besucht. Wir haben viel gemacht – Marseille ist toll!

Atalay: Und du, Sven?

Sven: Ich bin nach Florida geflogen. Das Wetter war super! Wir sind jeden Tag zum Strand gefahren und ich habe Souvenirs gekauft.

Atalay: Und wir sind in die Schweiz gefahren – nach St. Gallen. Wir haben die Stadt besichtigt – und wir haben in einem Zelt gewohnt!

Du, Annika – ich habe einen E-Mail-Brieffreund! Er heißt Sascha und er wohnt hier in Wesel ...

Sven: Und du – was hast du gemacht, Jasmin?

Jasmin: Ich? Ich bin zu Hause geblieben.

Annika: Und wie war das Wetter?

Jasmin: Es war schlecht – es hat jeden Tag geregnet! Aber es war nie langweilig – ich habe einen neuen Computer gekauft!

Atalay: He – fantastisch!

Jasmin: Ja – ich surfe jetzt jeden Tag im Internet. Und ich schreibe E-Mails!

Fortsetzung folgt ...

1a Vor dem Lesen: Was meinst du – was passt?
Finde die passenden Wörter.

1 besuchen (besucht) **a** in a tent

2 zum Strand **b** to visit (visited)

3 das Wetter **c** to France

4 fliegen (geflogen) **d** to look at (looked at)

5 in einem Zelt **e** to the beach

6 nach Frankreich **f** to fly (flew)

7 besichtigen (besichtigt) **g** the weather

1b Ist alles richtig? Hör gut zu und lies mit.

2 Finde im Text:

1 drei Städte

2 zwei Positiv-Adjektive

3 zwei Länder in Europa

4 zwei Negativ-Adjektive

3 Wer ist das? Kopiere die Sätze und schreib die passenden Namen auf.

1 ..... hat in Florida Souvenirs gekauft.

2 ..... hat Ferien in Wesel gemacht.

3 ..... hat ihre Brieffreundin in Frankreich besucht.

4 ..... hat einen Computer gekauft.

5 ..... ist in die Schweiz gefahren.

Viel Spaß!

Spanien

Ich bin nach Spanien geflogen
Wohin bist du geflogen?
Ich bin nach Spanien geflogen
Und es war toll, toll, toll!

Sonne, Schwimmen, Sport und Strand,
Spanien ist mein Lieblingsland!

Ich bin zwei Wochen geblieben
Wie lange bist du geblieben?
Ich bin zwei Wochen geblieben
Und es war schön, schön, schön!

Refrain

Ich hab' Paella gegessen
Was hast du gegessen?
Ich hab' Paella gegessen
Und es war gut, gut, gut!

Refrain

Ich bin zum Strand gefahren
Wohin bist du gefahren?
Ich bin zum Strand gefahren
Und es war heiß, heiß, heiß!

Refrain

Ich bin nach Hause geflogen
Wohin bist du geflogen?
Ich bin nach Hause geflogen
Und es war schade, schade, schade!

Refrain

Wohin bist du gefahren?

You will learn how to …
- ✓ say where you went on holiday: *Wir sind nach Irland gefahren. Ich bin nach Afrika geflogen. Wir sind zu Hause geblieben.*
- ✓ ask others where they went on holiday: *Wohin bist du im Sommer gefahren?*

1 🔊 Hör gut zu und lies mit.

1 *Ich bin nach Frankreich gefahren.*

2 *Wir sind nach Afrika geflogen.*

3 *Wir sind nach Tenby gefahren.*

4 *Ich bin zu Hause geblieben.*

2a 🔊 Wohin sind sie im Sommer gefahren? Hör gut zu und finde die passenden Namen, Länder, Kontinente und Städte.

Beispiel: Anne: zu Hause (Deutschland)

Alex	Heike	Matthias	Tina
Anne	Kofi	Mira	Susi

2b 👥 Ratespiel: Wer ist das? A fragt, B antwortet. Dann ist B dran.

Beispiel:
A *Ich bin nach Afrika geflogen.*
B *Du bist Kofi!*

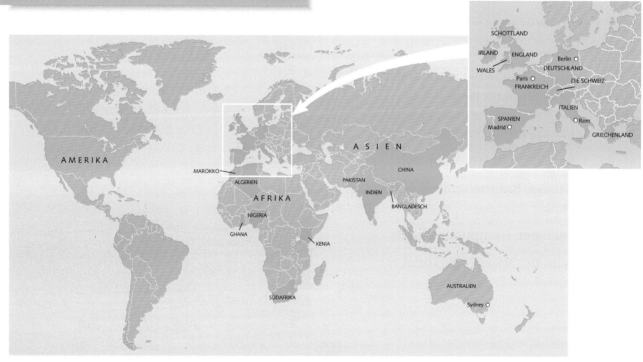

3 👥 Mach eine Umfrage: „Wohin bist du im Sommer gefahren?"

`Noch mal!` Schreib die Namen und Länder auf.

Beispiel: Tom: Griechenland

`Extra!` Schreib die Resultate in Sätzen auf.

Beispiel: Tom ist nach Griechenland gefahren.

Grammatik
im Fokus Das Perfekt + sein

If you want to talk about where you travelled to or went to, you use verbs which form their perfect tense with *sein* instead of *haben*. The past participles are also different: most of them still start with *ge-*, but they end with *-en*. Some also change their vowel sounds.

		past participle
fahren	Ich **bin** nach Berlin	**ge**fahr**en**.
fliegen	Wir **sind** nach Indien	**ge**flog**en**.
gehen	**Bist** du ins Schwimmbad	**ge**gang**en**?
bleiben*	Susi **ist** zu Hause	**ge**blieb**en**.

*Note that *bleiben* (to stay) also forms its perfect tense with *sein*, even though it's not a 'movement' verb.

4 *bin, bist, ist* oder *sind*? Füll die Lücken aus.

1 Ich _____ nach Irland gefahren.
2 Fredi _____ nach Frankreich geflogen.
3 Wir _____ nach Wien gefahren.
4 Susi und Sven _____ zu Hause geblieben.
5 Wohin _____ du gefahren?

Wiederholung *sein*

ich bin	wir sind
du bist	ihr seid
er/sie/es ist	sie/Sie sind

147 ▶

Hilfe

Wohin bist du im Sommer gefahren?
Ich bin nach Frankreich/in die Schweiz gefahren.
Wir sind nach Afrika/Indien geflogen.
Ich bin zu Hause geblieben.

5a Lies Toms Brief und füll die Lücken aus.

Hallo, Kathi!
Wohin bist du im Sommer ge🔲🔲? Ich bin nach Schottland gefl🔲🔲. Meine Brüder Alex und Mark sind nach Griechenland ge🔲🔲 – mit dem Auto. Und meine Eltern? Mein Vater ist zu Hause ge🔲🔲 – und meine Mutter ist nach Wien gefl🔲🔲!

5b Schreib einen Antwortbrief für Kathi mit den Informationen unten.

Ich: *Meine Schwester:*

Mein Bruder: *Meine Eltern:*

`C` `D` `E` ▶

Gut gesagt! Perfekt-Partizipien

6a 📼 Hör gut zu und lies mit.

gefahren   gegangen   geflogen   geblieben

6b 📼 Hör gut zu und wiederhole.

Ich bin nach Genf geflogen.
Gabi ist ins Geschäft gegangen.
Wir sind nach Gellen gefahren.
Und Günther ist zu Hause geblieben!

150 ▶

Was hast du in München gemacht?

1 🔊 Hör gut zu und lies mit.

1 *Ich habe meine Großeltern besucht. Wir haben einen Ausflug gemacht.*

2 *Wir sind zum Strand gefahren. Wir haben Hamburger gegessen und wir haben Cola getrunken.*

3 *Ich habe die Stadt besichtigt – ich habe viele Sehenswürdigkeiten besichtigt!*

2a 🔊 Was haben Markus und Julia gemacht? Hör gut zu und finde die passenden Bilder.

Beispiel: Markus: f, ...

2b 👥 A fragt: „Was hast du gemacht?", B antwortet. Macht Dialoge mit den Bildern (Übung 2a).

Beispiel:
A Was hast du gemacht?
B Ich habe meinen Brieffreund besucht.

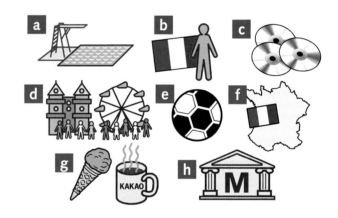

F G H ▸

Tipp ▫ Tipp ▫ Tipp

Einen Text adaptieren

☐ Was veränderst du? (*what needs to be changed?*) Finde die Wörter in Grün in Julias Postkarte.

☐ Was lässt du aus? (*What can be left out?*) Finde die Wörter in Orange.

3 Schreib eine Postkarte an Julia – verändere die Wörter in Grün, lass die Wörter in Orange aus.

Beispiel: Hallo, Julia! Ich war im Sommer in Frankreich. Ich habe meinen Brieffreund besucht ...

Hallo Sarah!
Ich war im Sommer in Italien! Und was habe ich gemacht? Ich habe Fußball gespielt und ich bin ins Schwimmbad gegangen. Ich bin auch mit Kathi in die Eisdiele gegangen und wir haben Kakao getrunken und Eis gegessen. Und ich bin in die Stadt gefahren und ich habe CDs gekauft! Und du – wohin bist du im Sommer gefahren? Und was hast du gemacht?

Deine Julia

Hilfe

Was hast du in … gemacht?			
Ich habe	Tennis gespielt.	Ich bin	in die Disco/ins Museum
Wir haben	einen Ausflug gemacht.	Wir sind	gegangen.
	Postkarten/Souvenirs gekauft.		in die Stadt/zum Freizeitpark
	Sehenswürdigkeiten/die Stadt besichtigt.		gegangen.
	meinen Brieffreund/meine Brieffreundin/		zum Strand gefahren.
	meine Großeltern besucht.		
	Paella/Curry/Kuchen gegessen.		
	Limonade getrunken.		

Grammatik
im Fokus Das Perfekt

Most verbs form the perfect tense with *haben*, and their past participles start with *ge-* and end with *-t*:

Ich habe Postkarten **gekauft**.
Wir haben einen Ausflug **gemacht**.

But a small number of verbs which form their perfect tense with *haben* have past participles which don't follow this pattern:

Wir haben Kaffee **getrunken**.
Ich habe Curry **gegessen**.

Ich habe meine Großeltern **besucht**.
Wir haben die Stadt **besichtigt**.

4 Was hast du gemacht? Schreib Sätze.
Beispiel:
1 Ich habe Limonade getrunken.

1 Ich habe Limonade _____ .
2 Wir haben Postkarten _____ .
3 Ich habe die Stadt _____ .
4 Ich habe meine Großeltern _____ .
5 Wir haben Hamburger _____ .

Wiederholung Das Perfekt + *sein*

A few verbs use *sein* instead of *haben* to form the perfect tense. These are mostly verbs that describe movement (to go, to travel, etc.):

Ich **bin** mit dem Bus **gefahren**.
Wir **sind** ins Schwimmbad **gegangen**.

150 ▸

5 *sein* oder *haben*? Lies Gabis Brief und füll die Lücken aus.

habe sind haben bin haben habe sind

Wir _____ nach Spanien geflogen.

Wir _____ Tennis gespielt oder wir _____ zum

Strand gefahren. Wir _____ auch einen

Ausflug gemacht und ich _____

Sehenswürdigkeiten besichtigt.

Ich _____ Paella gegessen und ich _____

in die Disco gegangen.

I J ▸

Wie war das Wetter in Frankreich?

You will learn how to …

✓ ask where others went on holiday: *Wo warst du?*

✓ say where you went on holiday: *Ich war in Frankreich.*

✓ ask what the weather was like on holiday: *Wie war das Wetter?*

✓ say what the weather was like on holiday: *Es war sonnig. Es hat viel geregnet.*

1 🔊 Hör gut zu und lies mit.

Wie war das Wetter?

Es war schön.

a — Es war sehr heiß.

b — Es war sonnig.

Es war schlecht.

c — Es war immer kalt.

e — Es war neblig.

g — Es hat viel geregnet.

d — Es war windig.

f — Es war wolkig.

h — Es hat geschneit.

2 Wie war das Wetter? Hör gut zu und finde die passenden Bilder in Übung 1 für Stefan, Ruth und Erdal.

Beispiel: Stefan: b, …

K L ▶

Hilfe

Wo warst du (in den Ferien)?

Ich war in …

Wie war das Wetter (in …)?

Es war sehr/gar nicht schön/kalt.

Es hat viel/nicht viel/nie/manchmal/oft/immer geregnet/geschneit.

3 Wo warst du in den Ferien? Wie war das Wetter? Macht Dialoge mit den Informationen auf der Karte rechts.

Noch mal! Schreib einen Wetterbericht.

Beispiel: Deutschland: Es war sonnig.

Extra! Du bist Reporter. Finde fünf Schüler/ Schülerinnen. Frag: „Wo warst du in den Ferien? Wie war das Wetter?" und nimm die Interviews auf Kassette auf. Schreib dann fünf Postkarten mit den Informationen.

Beispiel:

Ich war in Tenby. Es war windig.
Tina.

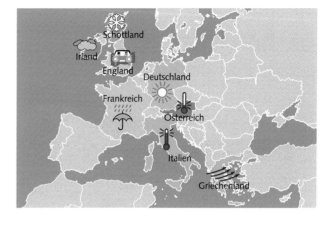

Grammatik im Fokus Das Imperfekt

There is another past tense in German – the imperfect tense. A small number of very common verbs usually use the imperfect tense instead of the perfect tense – *sein* is one of these verbs:

Präsens (present tense)		Imperfekt (imperfect tense)
Ich **bin** in Berlin.	➡	Ich **war** in Berlin.
Wo **bist** du?	➡	Wo **warst** du?
Es **ist** schön.	➡	Es **war** schön.

4 Lies Maltes Postkarte. Finde alle Sätze im Imperfekt und alle Sätze im Perfekt. Schreib die Sätze in zwei Listen auf.

Liebe Claudia,
wo warst du in den Ferien? Und was hast du gemacht? Ich war in Berlin. Ich habe meinen Bruder besucht. Ich habe einen Fußball gekauft und wir haben Fußball gespielt. Das Wetter war aber schlecht: Es hat immer geregnet und es war nie heiß. Es war immer kalt und es hat manchmal geschneit! Wie war das Wetter in Hamburg?
Viele Grüße
Malte

5 Wo warst du in den Ferien? Wie war das Wetter? Schreib eine Postkarte mit den Informationen unten.

6 Du bist dran! Wie war das Wetter am Wochenende? Schreib Sätze.

 150

Wo hast du gewohnt?

You will learn how to ...

✓ ask where someone stayed on holiday: *Wo hast du gewohnt?*
✓ say where you stayed on holiday: *Ich habe in einer Ferienwohnung gewohnt.*
   Wir haben bei Freunden gewohnt.
✓ say what it was like: *Das Hotel war groß. Die Jugendherberge war laut.*

1a 🎧 Wo haben sie gewohnt? Hör gut zu und lies mit.

a *in einem Hotel*
b *in einem Wohnwagen*
c *in einem Wohnmobil*
d *in einem Zelt*
e *in einer Ferienwohnung*
f *in einer Jugendherberge*
g *bei einer Gastfamilie*
h *bei Freunden*

1b 👥 Ratespiel: Wo hast du gewohnt?
A fragt, **B** wählt ein Bild und antwortet.
Dann ist **B** dran.

Beispiel:
A Wo hast du gewohnt?
B Ich habe in einem Hotel gewohnt.
A Das ist Bild a!
B Richtig!

O P ▷

2 Wo hast du gewohnt? Schreib Sätze für die Bilder in Übung 1a.

Wiederholung *in einem/einer ...*

m. Ich habe in einem Wohnwagen gewohnt.

f. Ich habe in einer Ferienwohnung gewohnt.

n. Ich habe in einem Hotel gewohnt.

143 ▶

3a Wie war ... ? Schau die Bilder an und finde die passenden Hilfe-Adjektive unten.

Beispiel: *a = laut*

3b 👥 Wie war ... ? Macht Dialoge mit den Bildern (Übung 3a).

Beispiel:
A *Wie war die Jugendherberge?*
B *Die Jugendherberge war laut.*

Q R ▷

Hilfe

Wie war ... ?			
Der Wohnwagen	war	sehr	alt/modern.
Die Ferienwohnung/		nicht	groß/klein.
Jugendherberge			laut/schön.
Das Zimmer/Hotel			
Wohnmobil/Zelt			

Tipp □ Tipp □ Tipp

Hören: Notizen machen

Wie macht man Notizen in Deutsch?

□ Schreib die Schlüsselwörter auf.

   Spanien

□ Schreib Abkürzungen auf.

   Sp.

□ Zeichne Bilder.

□ Schreib dann Sätze mit deinen Informationen.

   Timo ist nach Spanien gefahren.

4 📼 Hör gut zu und mach Notizen.

Name: Nick ....

Wohin bist du gefahren? nach Spanien ....

Wo hast du gewohnt? ....

Wie war ... ? ....

Noch mal! Lies deine Informationen von Übung 4. Schreib dann eine Postkarte für Nick, Katrin oder Timo.

Beispiel:
(Nick:) Ich bin nach Spanien gefahren.
Ich habe in ... gewohnt.

Extra! Wohin bist du in den Ferien gefahren? Wo hast du gewohnt? Wie war ... ? Zeichne alles oder finde Fotos. Schreib dann ein ‚Ferientagebuch'.

1 Traumferien – wer war wo? Lies die Sprechblasen und finde die passenden Fotos für die Personen.

> *Ich bin zu Hause geblieben – aber es war nie langweilig! Am Wochenende habe ich in einem Zelt gewohnt – mit meiner Freundin Cora. Das war in einem Dorf im Süden. Ich habe viele Popbands gesehen und ich habe viele Fotos gemacht! Aber das Wetter war schlecht: Es hat geregnet und es war sehr windig.*

> *Wir sind im Winter in Urlaub gefahren – im Januar. Es hat jeden Tag geschneit und es war sehr kalt. Wir sind Ski gefahren und ich bin auch Snowboard gefahren – super! Wir haben auch einen Ausflug gemacht. Mittags haben wir Fondue gegessen und Tee getrunken.*

> *Die Ferien waren super! Das Wetter war toll – es hat nie geregnet und es war nie kalt! Ich bin jeden Tag zum Strand gefahren. Mittags habe ich Paella gegessen und Cola getrunken. Und abends? Abends war es sehr laut und ich habe bis Mitternacht getanzt!*

Neue Wörter – 3 Tipps ...

> *Fotos – was heißt das?*

1 Rate!

> Ich habe viele Fotos gemacht.
>
> I took a lot of photos.

2 [W] Schau nach! Schau Seite 154–160 an.
Dort gibt es eine Liste mit Wörtern.

3 Frag deinen Lehrer/deine Lehrerin!

> *Fotos – was heißt das bitte?*

2 Du bist dran! Beschreib deine Traumferien!

a Wo warst du? Finde Fotos oder zeichne alles.

b Was hast du gemacht? Schreib ein Tagebuch.

> *Beispiel* Montagmorgen: Ich habe einen
> Ausflug gemacht.

c Wo hast du gewohnt – und wie war es?
Schreib 2–3 Sätze.

d Was hast du gegessen und getrunken?
Schreib einen ‚Essen und Trinken'-Plan.

> *Beispiel* Samstag: Curry (Hähnchen,
> Gemüse, Reis)
> Kuchen und Tee

e Wie war das Wetter? Schreib und zeichne
einen Wetterbericht.

f Finde 🔊. Nimm die Informationen
auf Kassette auf.

Kannst du ... ?

✓ sagen:	Wir sind nach Irland gefahren. Ich bin nach Afrika geflogen. Wir sind zu Hause geblieben.
✓ fragen:	Wohin bist du im Sommer gefahren?
✓ fragen:	Was hast du in Italien gemacht?
✓ sagen:	Wir haben die Stadt besichtigt. Ich habe meinen Onkel besucht.
✓ fragen:	Wo warst du?
✓ sagen:	Ich war in Frankreich.
✓ fragen:	Wie war das Wetter?
✓ sagen:	Es war sonnig. Es hat viel geregnet.
✓ fragen:	Wo hast du gewohnt?
✓ sagen:	Ich habe in einer Ferienwohnung gewohnt. Wir haben bei Freunden gewohnt.
✓ sagen:	Das Hotel war groß. Die Jugendherberge war laut.

Und Grammatik im Fokus ... ?

✓ das Perfekt + *sein*	Ich bin nach Berlin gefahren. Wir sind nach Indien geflogen. Wir sind ins Schwimmbad gegangen. Susi ist zu Hause geblieben.
✓ das Perfekt	Wir haben Kaffee getrunken. Ich habe Curry gegessen. Ich habe meine Großeltern besucht.
✓ das Imperfekt	Ich war in Berlin. Wo warst du? Wie war das Wetter? Es war schön.

Die Klasse!-Clique
Folge 2

Jasmin:	Morgen, Annika! Wir gehen um 11 Uhr ins Schwimmbad. Kommst du?
Annika:	Hallo, Jasmin! Nein, ich wasche ab und ich füttere den Hund und die Katze. Und dann fahre ich mit dem Rad in die Stadt – ich kaufe ein. Dafür bekomme ich 10 Euro von meiner Mutter!

Atalay:	Sven! Sven! Wir gehen ins Schwimmbad!
Sven:	Und ich trage Zeitungen aus – leider!
Jasmin:	Wie findest du den Job?
Sven:	Er ist langweilig – aber ich bekomme 30 Euro pro Woche.

Später nach dem Einkaufen ...

> *Mein Rad!!*
> *Oh nein – wo ist mein Fahrrad??*

Fortsetzung folgt ...

1 Was meinst du? Vor dem Lesen: Rate!

  1 Es ist …

    a Mitternacht.

    b Samstagmorgen.

  2 Annika …

    a hilft zu Hause.

    b macht Hausaufgaben.

  3 Jasmin und Atalay gehen …

    a ins Schwimmbad.

    b zur Schule.

  4 Sven …

    a geht nicht ins Schwimmbad.

    b geht auch ins Schwimmbad.

  5 Annikas Fahrrad ist …

    a neu und sehr schön.

    b nicht mehr da.

2 Hör gut zu und lies mit. Wie heißt das auf Deutsch?

  1 Are you coming?

  2 I'm feeding the dog and cat.

  3 I'm delivering newspapers.

  4 How do you like the job?

  5 I get 30 Euros per week.

3 Lies die Sätze. Sind sie richtig oder falsch?

  1 Annika kauft für die Familie ein.

  2 Sie bekommt 30 Euro.

  3 Atalay und Jasmin gehen in die Stadt.

  4 Sven hat einen Job.

  5 Er findet den Job interessant.

  6 Annika fährt mit dem Fahrrad zum Supermarkt.

Mein Tag beginnt

Ich stehe auf!
Ich stehe auf!
Es ist sieben Uhr
Und ich steh' auf!

Ich wasche mich!
Ich wasche mich!
Es ist Viertel nach
Und ich wasche mich!

Ich ziehe mich an!
Ich ziehe mich an!
Es ist fast halb acht
Und ich zieh' mich an!

Ich esse Toast!
Ich esse Toast!
Es ist Viertel vor
Und ich esse Toast!

Ich trinke Milch!
Ich trinke Milch!
Es ist zehn vor acht
Und ich trinke Milch!

Mein Tag beginnt!
Mein Tag beginnt!
Es ist schon acht Uhr
Und mein Tag beginnt!

A

Was machst du heute?

1a 📼 Kai beschreibt seinen Alltag. Hör gut zu und lies mit.

Ich stehe auf.   *Ich wasche mich.*   *Ich ziehe mich an.*   *Ich frühstücke.*

Ich gehe in die Schule.   *Ich gehe nach Hause.*   *Ich ziehe mich aus.*   *Ich gehe ins Bett.*

1b 👥 Wie ist dein Alltag? **A** wählt ein Bild, **B** antwortet. Dann ist **B** dran.

Beispiel:
A   *Was machst du in Bild e?*
B   *Ich gehe in die Schule.*

1c 📼 Hanna beschreibt ihren Alltag. Hör gut zu und finde die richtige Reihenfolge für die Sätze.

1   Ich gehe nicht in die Schule.

2   Ich stehe auf.

3   Es ist Sonntag – prima!

4   Dann frühstücke ich.

5   Ich wasche mich.

Grammatik im Fokus
Reflexivverben

With some German verbs, you need to use the word *mich* (myself):

Ich wasche **mich**.	I have a wash. (I wash **myself**.)
Ich ziehe **mich** an.	I get dressed. (I dress **myself**.)

2a Schreib die Sätze richtig auf.

1   mich / Ich / an / ziehe / .

2   mich / wasche / Ich / .

3   aus / Ich / mich / ziehe / .

2b Finde die passenden Bilder (Übung 1a) für die Sätze in Übung 2a.

 B ▶   C ▶   147

3  Wann machst du das? Hör gut zu und finde die passenden Bilder für die Sätze.

1 *Um sieben Uhr ziehe ich mich an.*

Um halb acht wasche ich mich. **2**

3 *Um zweiundzwanzig Uhr ziehe ich mich aus.*

a  22:00

b 7:00

c  7:30

Wiederholung Wortstellung

Ich **wasche** mich. ➡ Um sieben Uhr **wasche** ich mich.

Ich **ziehe** mich an. ➡ Um acht Uhr **ziehe** ich mich an.

4 Schreib die Sätze richtig auf.

1 Um / Uhr / sieben / ich / mich / wasche / .
2 ich / Um / ziehe / 22 / mich / Uhr / aus / .
3 ziehe / Um / mich / acht / ich / Uhr / an / .

D E ▸ 152 ▶

5 👥 Du bist dran! Was machst du und wann? Macht Dialoge.

Beispiel:
A Was machst du um sieben Uhr?
B Um sieben Uhr stehe ich auf.

Noch mal! Was sagst du? Schreib Antworten.

1 Wann stehst du auf?
2 Wann frühstückst du?
3 Wann gehst du in die Schule?
4 Wann gehst du ins Bett?

Extra! Beschreib deinen Alltag: Was machst du und wann? Schreib acht Sätze.

Beispiel: Um halb acht stehe ich auf.

Tipp □ Tipp □ Tipp

Wörterbuchhilfe: Reflexivverben

Ich dusche mich – wie heißt das auf Englisch?

Schau im Deutsch-Englisch-Wörterbuch nach:

duschen *refl. V.* take *or* have a shower

Reflexivverb   Verb

Sit down! – wie sagt man das auf Deutsch?

Schau im Englisch-Deutsch-Wörterbuch nach:

to sit down *v. (become seated)* sich setzen

Infinitiv   Reflexivpronomen (wie ,mich')

6a 📖 Wie heißt das auf Englisch? Schau im Wörterbuch nach.

1 sich amüsieren
2 sich entscheiden
3 sich fühlen
4 sich entspannen

6b 📖 Und wie heißt das auf Deutsch?

1 to get lost
2 to make a mistake
3 to hurry
4 to complain

Wie hilfst du zu Hause?

You will learn how to ...

✓ talk about household chores: *Ich putze das Badezimmer. Ich sauge Staub.*

✓ ask someone about their household chores: *Hilfst du zu Hause?*

✓ describe how often you help at home: *Ich decke jeden Tag den Tisch. Ich wasche oft ab.*

✓ ask someone how often they help at home: *Wie oft machst du das?*

1 Hör gut zu und lies mit.

Ich räume mein Zimmer auf.
a

b

Ich sauge Staub.
c

Ich putze das Badezimmer.

Ich füttere den Hund und die Katze.
d

Ich wasche ab.
e

Ich decke den Tisch.
f

Ich kaufe ein.
g

2 Wer macht was? Hör gut zu und finde die passenden Bilder von Übung 1.

Beispiel: Stefan: f, ...

3 Du bist dran! Wie hilfst du zu Hause? **A** fragt und **B** antwortet. Dann ist **B** dran.

Beispiel:
A   Wie hilfst du zu Hause?
B   Ich räume mein Zimmer auf. Und du?

Grammatik im Fokus Trennbare Verben

Some infinitives need to be split into two parts when you use them. The first part of the verb goes to the end of the sentence:

aufstehen	➡	Ich stehe **auf**.
abwaschen	➡	Ich wasche **ab**.

4 Schreib die Sätze richtig auf.

1 Ich / mein / Zimmer / auf / räume/ .
2 ein / kaufe / Ich / .
3 stehe / auf / Ich / .
4 ab / wasche / Ich / .

G ▶

148

F ▶

5a 🔊 Wie oft machst du das? Hör gut zu und lies mit.

> Ich sauge jeden Tag Staub.
> Ich räume immer mein Zimmer auf.
> Ich putze oft das Badezimmer.

> Ich kaufe nie ein.
> Ich füttere selten den Hund.
> Ich decke einmal pro Woche den Tisch.

Hilfe

Wie oft machst du das?

immer	einmal pro Woche
jeden Tag	selten
oft	nie

Grammatik im Fokus Akkusativ (den/die/das/die)

m.	**der** Tisch	➡	Ich decke **den** Tisch.
f.	**die** Katze	➡	Ich füttere **die** Katze.
n.	**das** Auto	➡	Ich wasche **das** Auto.
pl.	**die** Zimmer	➡	Ich räume **die** Zimmer auf.

5b 👥 Was machst du und wie oft?

Beispiel:
A *Nie?*
B *Ich decke nie den Tisch.*
C *Ich sauge nie Staub.*
A *Oft?*
B *Ich wasche oft ab.*

Noch mal! 👥 Mach eine Umfrage in deiner Klasse. Frag: „Wie hilfst du zu Hause und wie oft machst du das?" Schreib die Resultate auf.

Name	Wie hilfst du zu Hause?	Wie oft?
Sarah	Ich füttere den Hund.	jeden Tag

Extra! Wie hilfst du zu Hause – und wie oft? Schreib Sätze.

Beispiel:
Ich decke jeden Tag den Tisch.

H I ▶

6a Finde die passenden Wörter.

1 Ich decke der / den Tisch.
2 Ich putze den / das Badezimmer.
3 Ich füttere die / der Katze.
4 Ich wasche die / das Auto.
5 Ich räume die / den Zimmer auf.
6 Ich füttere den / der Hund.

6b Füll die Lücken aus.

> Hallo!
>
> Wie hilfst du zu Hause? Ich decke jeden
>
> Tag _____ Tisch und räume oft _____ Zimmer
>
> auf. Zweimal pro Woche füttere ich _____
>
> Hund und _____ Katze. Ich wasche einmal pro
>
> Woche _____ Auto, aber ich putze nie _____
>
> Badezimmer. Das mag ich gar nicht!

J ▶

141 ▶

Wie viel Geld bekommst du?

You will learn how to ...

✓ describe how much pocket money you get: *Ich bekomme 4 Pfund.*

✓ say from whom and how often you get it: *Ich bekomme pro Monat 8 Pfund von meinem Vater.*

✓ describe what you spend your pocket money on: *Ich kaufe Make-up.*

✓ describe how much and why you save it: *Ich spare 10 Pfund pro Monat für ein Fahrrad.*

1 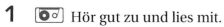 Hör gut zu und lies mit.

> Ich bekomme pro Woche 5 Euro von meinem Stiefvater.

> Ich bekomme pro Monat 8 Euro von meinen Eltern.

> Ich bekomme kein Geld von meiner Mutter.

K ▶

Grammatik im Fokus · *von + Dativ*

When you use *von* (from) in a sentence, the noun that follows must be in another case – the dative. Here are the dative endings:

m.	Ich bekomme 5 Euro **von meinem** Vater.
f.	Wie viel Geld bekommst du **von deiner** Mutter?
n.	Ich bekomme kein Geld **von meinem** Kaninchen!
pl.	Bekommst du Geld **von deinen** Großeltern?

2 Füll die Lücken aus.

1 von _meinem_ Onkel   4 von _____ Mutter

2 von _____ Oma   5 von _____ Vater

3 von _____ Eltern   6 von _____ Tante

L ▶

3a Mach eine Klassenumfrage. Wie viel bekommen die Schüler/Schülerinnen und von wem?

Beispiel:

A *Wie viel Geld bekommst du?*

B *Ich bekomme pro Woche 10 Pfund.*

A *Von wem?*

B *Von meiner Oma.*

3b Schreib die Resultate auf.

Beispiel: *Sarah: Ich bekomme pro Woche 10 Pfund von meiner Oma.*

M ▶

 142 ▶

4 🔊 Hör gut zu und lies mit.

Jasmin: Annika, was kaufst du von deinem
Taschengeld?
Annika: Zeitschriften, Make-up, Kleidung usw.
Jasmin: Und sparst du auch etwas?
Annika: Ja, ich spare pro Woche 2 Euro.
Ich spare für eine Stereoanlage!

5 🔊 Was kaufen sie und wofür sparen sie?
Hör gut zu und finde die passenden Bilder.

*Beispiel: 1 Annalise – spart für: d ...
kauft: f, ...*

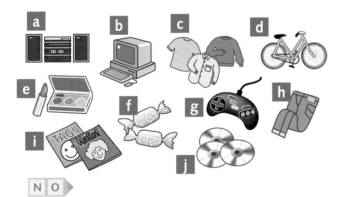

N O ▶

Hilfe

Ich spare für	einen Computer.
Ich kaufe	eine Stereoanlage/eine Jeans.
	ein Fahrrad/ein Computerspiel.
	CDs/Kleidung/Make-up.
	Süßigkeiten/Zeitschriften.

Grammatik
im Fokus *für + Akkusativ*

When you use *für* (for) in a sentence, the noun
that follows must be in the accusative case:

m.	Ich spare **für**	einen Computer.
f.	Ich spare **für**	eine Stereoanlage.
n.	Ich spare **für**	ein Fahrrad.

6a 📖 Wofür sparst du? Schreib drei
Listen – für Maskulinum, Femininum
und Neutrum.

Beispiel: Maskulinum: Fernseher, ...

> Fernseher   Bluse   Hemd   Jeans
> Buch   T-Shirt
> Jacke   Computerspiel   Pullover

6b Schreib jetzt Sätze mit den Wörtern in
Übung 6a.

Beispiel: Ich spare für einen Fernseher.

Noch mal! 👥 „Was kaufst du und wofür
sparst du?" Frag vier Freunde und
schreib zwei Listen.

Beispiel:

Name	kauft ...		spart für ...
Leon	Schokolade und CDs		einen Computer

Extra! 👥 Gedächtnisspiel.

Beispiel:
A *Ich spare für einen Computer.*
B *Ich spare für einen Computer und
ein Buch.*
C *Ich spare für einen Computer, ein
Buch und eine Jacke.*

P Q ▶

Hast du einen Nebenjob?

You will learn how to …

✓ describe jobs you do to earn money: *Ich trage Zeitungen aus. Ich bin Babysitter.*

✓ ask someone what jobs they do: *Hast du einen Nebenjob?*

✓ say how much you earn: *Ich bekomme/verdiene pro Woche 10 Euro.*

✓ give your opinion on your job: *Das macht Spaß! Ich mag den Job nicht!*

1a 🔊 Hast du einen Nebenjob? Was sagen sie? Hör gut zu und lies mit.

1b 👥 Ratespiel. **A** wählt ein Bild, **B** rät. Dann ist **B** dran.

> **Beispiel:** **A** Ich wasche das Auto.
> **B** Das ist Bild e.
> **A** Ja, richtig!

2a 🔊 Hör gut zu und lies mit.

Sven:	Jasmin, hast du einen Nebenjob?
Jasmin:	Ja, ich bin Babysitterin.
Sven:	Und wie viel verdienst du?
Jasmin:	Ich verdiene pro Abend 10 Euro.

2c Richtig oder falsch? Korrigiere die falschen Sätze.

1 Atalay: Ich bekomme pro Woche 6 Euro.
2 Atalay: Ich führe die Katze aus.
3 Annika: Ich verdiene pro Woche 23 Euro.
4 Annika: Ich helfe nie im Garten.
5 Katrin: Ich trage Zeitungen aus.
6 Katrin: Ich helfe zu Hause.

2b 🔊 Was sagen Sven, Atalay, Annika und Katrin? Hör gut zu und füll die Tabelle aus.

	Hast du einen Nebenjob?	Wie viel verdienst du?
Sven	ich helfe zu Hause ich wasche das Auto	8 Euro

2d 👥 Macht Dialoge mit den Informationen von Übung 2b.

> **Beispiel:**
> **A** *Hast du einen Nebenjob, Sven?*
> **B** *Ja, ich helfe zu Hause und …*
> **A** *Und wie viel verdienst du?*
> **B** *Ich bekomme 8 Euro.*

S T ▶

Meinungen

> Ich habe einen Nebenjob: Ich wasche Autos und ich verdiene pro Monat 25 Euro. Ich mag den Job nicht – das finde ich sehr langweilig. Ich arbeite zweimal pro Monat, am Samstag und Sonntag. Der Manager ist oft ungeduldig und laut und das finde ich nicht sehr freundlich.
> Richard (15)

> Meine Tante hat einen Hund, aber sie arbeitet in der Stadt. Also, ich führe jeden Tag den Hund für sie aus. Das macht Spaß! Ich finde den Job toll. Der Hund ist freundlich und leise – ich mag den Hund sehr gern. Ich verdiene pro Woche 6 Euro. Das finde ich gut und ich kaufe damit Make-up.
> Monika (14)

3a Lies die Texte und finde alle Meinungs-Sätze. Welche sind positiv und welche sind negativ? Schreib zwei Listen.

Beispiel: Positiv: Das macht Spaß!

3b Hast du einen Job? Wie findest du den Job? Schreib Sätze auf Deutsch.
Beispiel: 1 Ich bin Babysitter. Ich mag den Job sehr gern.

3c Was ist dein Nebenjob und wie findest du das? A macht eine Pantomime, die Gruppe rät.

Noch mal! Wie findest du die Nebenjobs in Übung 1a? Schreib einen positiven oder einen negativen Satz.

Beispiel:
Ich führe den Hund aus. Das macht Spaß!

Extra! Beschreib einen positiven und einen negativen Nebenjob wie Richard und Monika.

Beispiel:
Ich arbeite im Garten. Das mag ich sehr gern. Ich arbeite am Wochenende ...

U V

Hilfe

Ich habe einen/keinen Nebenjob.
Ich arbeite jeden Tag/am Wochenende.
Ich verdiene 10 Euro.
Ich bekomme 5 Euro von meinem Vater.
Ich bekomme/verdiene kein Geld.

Ich finde den Job super/toll/gut.
Ich mag den Job (sehr gern).
Das macht Spaß!

Ich finde den Job langweilig/schrecklich/
   nicht so gut.
Ich mag den Job (gar) nicht.
Das macht keinen Spaß!

Gut gesagt! Wortendungen

4a Hör gut zu und lies mit.

4b Hör gut zu und wiederhole.

der die das die
den die das die
mein meine mein meine
meinen meine mein meine

1

Ich habe zwei Hunde, aber ich arbeite den ganzen Tag. Gesucht: Junge oder Mädchen – zweimal pro Tag, morgens und abends. 25 Euro pro Woche. Frau Meyer, Tel. 003 44 22 88

2

10 DM pro Tag verdienen! Ich habe zwei Kinder – 2 und 4 Jahre alt. Ich brauche einen Babysitter jeden Tag von 15.00 bis 17.00 Uhr. Herr Robanser, Schillerstraße 29, Bonn

4

Brauchen Sie Hilfe zu Hause?

- Ich wasche ab!
- Ich putze das Haus!
- Ich räume die Zimmer auf!
- Ich sauge Staub!

€ 5 pro Stunde – jeden Tag – Montag bis Freitag von 14.00 bis 18.00 Uhr. Hanna Neumann, Hauptstraße 79A, Bremen. Tel. 062 75 83 87

3

HILFE!

Meine Familie ist faul und ich bin müde! Ich brauche Hilfe zu Hause und im Garten. 6 Stunden samstags und/oder sonntags. € 8,50 pro Stunde. Tel. 010 78 29 41 für ein Interview.

1 Welche Jobs findest du interessant und welche langweilig? Schreib zwei Listen und schreib auch warum.

Beispiel:
Interessant:
Job 1: Ich mag Haustiere und das Geld ist gut.

2 Deine Oma/dein Opa braucht Hilfe zu Hause oder im Garten. Schreib eine Anzeige für sie oder ihn.

3a 🗣 Mach eine Umfrage in deiner Klasse.
- ☐ Wie viele Schüler und Schülerinnen haben einen Nebenjob?
- ☐ Was machen sie?
- ☐ Wann arbeiten sie?
- ☐ Wie viel Geld bekommen sie?
- ☐ Was kaufen sie von dem Geld?
- ☐ Wofür sparen sie?

3b Schreib die Resultate auf.

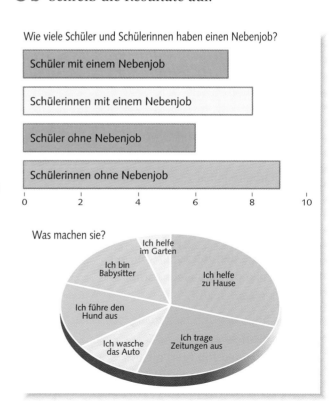

Wie viele Schüler und Schülerinnen haben einen Nebenjob?

Schüler mit einem Nebenjob

Schülerinnen mit einem Nebenjob

Schüler ohne Nebenjob

Schülerinnen ohne Nebenjob

Was machen sie?

Ich helfe im Garten
Ich bin Babysitter
Ich helfe zu Hause
Ich führe den Hund aus
Ich trage Zeitungen aus
Ich wasche das Auto

Die Nebenjobs von Klasse 9B

Hallo! Ich heiße Martin und ich bin in der Klasse 9B. Ich habe einen Nebenjob – ich trage jeden Morgen Zeitungen aus. Das finde ich toll – ich mag den Job sehr gern. Ich verdiene 22 Pfund pro Woche. Ich spare für eine Stereoanlage – ich spare pro Woche 5 Pfund. Ich kaufe auch jeden Monat Kleidung und Poster.

Hallo!
Wir sind die Klasse 9B aus Abingdon.
Wir machen eine Umfage:
‚Nebenjobs in Deutschland'.
Hier sind die Fragen:
• Wie viele Schüler und Schülerinnen haben einen Nebenjob?
• Was machen sie?
• Wann arbeiten sie?
• Wie viel Geld bekommen sie?
• Was kaufen sie mit dem Geld?
• Wofür sparen sie?

4 Schreibt einen Artikel für eine Klassenzeitung oder für eine Internet-Seite: ‚Die Nebenjobs von Klasse ...'.

☐ Findet Fotos.
☐ Beschreibt die Jobs (schreibt Sätze).
☐ Macht auch Interviews auf Kassette.
☐ Schreibt an eine deutsche Schule und stellt Fragen wie in Übung 3a.

Kannst du ... ?

✓ deinen Alltag beschreiben:	*Ich wasche mich. Um acht Uhr ziehe ich mich an.*
✓ sagen:	*Was machst du um sieben Uhr?*
✓ fragen und sagen:	*Hilfst du zu Hause? Wie oft machst du das? Ich putze das Badezimmer. Ich decke jeden Tag den Tisch.*
✓ sagen:	*Ich bekomme pro Monat 8 Pfund von meinem Vater.*
✓ sagen:	*Ich kaufe Make-up.*
✓ sagen:	*Ich spare 10 Pfund pro Monat für ein Fahrrad.*
✓ Nebenjobs beschreiben:	*Ich trage Zeitungen aus. Ich bin Babysitter.*
✓ fragen:	*Hast du einen Nebenjob?*
✓ sagen:	*Ich bekomme/verdiene pro Woche 10 Euro.*
✓ Meinungen geben:	*Das macht Spaß! Ich mag den Job nicht!*

Und Grammatik im Fokus ... ?

✓ Reflexivverben	*Ich wasche mich. Ich ziehe mich an.*
✓ Trennbare Verben	*Ich stehe auf. Ich wasche ab.*
✓ Akkusativ (den/die/das/die)	*Ich decke den Tisch. Ich füttere die Katze. Ich wasche das Auto. Ich räume die Zimmer auf.*
✓ von + Dativ	*Ich bekomme 5 Euro von meinem Vater. Wie viel Geld bekommst du von deiner Mutter?*
✓ für + Akkusativ	*Ich spare für einen Computer/eine Stereoanlage/ein Fahrrad.*

Freunde und Familie

Die Klasse!-Clique

Folge 3

Jasmin: Sascha ist super – er ist lustig und
nett und er ist sehr sympathisch!
Atalay: Hast du ein Foto von Sascha?
Jasmin: Nein, leider nicht.
Atalay: Wie sieht er aus – was meinst du?
Jasmin: Also: Seine Augen sind blau und er
hat kurze blonde Haare ...

Jasmin: Hallo, Sven! Kommst du heute Abend
in die Disco?
Sven: Nein, mein Vater ist total altmodisch!
Er ist zu streng: Ich muss jeden Abend
um 20 Uhr zu Hause sein – wir streiten
uns immer! Ich muss immer zu Hause
helfen und ich darf nicht fernsehen!
Und er ist immer ungeduldig! Das
finde ich gemein!

Später zu Hause ...
Vater: Sven, ich habe ein Haus in
Chemnitz gekauft – wir gehen
wieder nach Chemnitz!
Sven: Was?? Wann? Nein!
Mutter: Sven! Chemnitz ist unsere
Heimat!
Sven: Aber ich wohne gern in Wesel!
Alle meine Freunde wohnen
hier!
Mutter: Du hast aber auch Freunde in
Chemnitz, Sven!
Vater: Wir fahren im April – und du
kommst mit!

Fortsetzung folgt ...

1 Vor dem Lesen: Was meinst du – was passt? Finde die passenden Adjektive.

1	altmodisch	a	nice
2	blond	b	short
3	gemein	c	old-fashioned
4	kurz	d	impatient
5	streng	e	blonde
6	sympathisch	f	mean
7	ungeduldig	g	strict

2 Hör gut zu und lies mit. Wie heißt das auf Deutsch?

1 What does he look like?

2 He's got blue eyes.

3 We're always fighting.

4 I'm not allowed to watch TV.

5 Chemnitz is our home.

6 You're coming with us.

3 Finde die richtige Reihenfolge für die Geschichte.

Beispiel: *e, ...*

a Sven findet die Nachricht schrecklich!

b Sven beschreibt seine Probleme zu Hause.

c Svens Eltern kommen in sein Zimmer.

d Sven findet seinen Vater gemein.

e Jasmin beschreibt ihren Brieffreund Sascha.

f Svens Vater hat eine Nachricht für Sven – sie ist sehr wichtig.

Viel Spaß!

Mein bester Freund

Lukas ist mein bester Freund
Bester Freund, bester Freund
Lukas ist der beste Freund
Der beste Freund der Welt

Er hat blaue Augen
Er hat blaue Augen
Er hat blaue Augen
Lukas ist so lieb

Refrain

Er hat rote Haare
Er hat rote Haare
Er hat rote Haare
Lukas ist so lieb

Refrain

Er trägt eine Brille
Er trägt eine Brille
Er trägt eine Brille
Lukas ist so lieb

Refrain

Er ist immer lustig
Er ist immer lustig
Er ist immer lustig
Lukas ist so lieb

Refrain

A

Wie siehst du aus?

1 🔊 Hör gut zu und lies mit.

> *Ich heiße Eva. Ich habe lange lockige Haare und meine Augen sind blau. Ich trage Ohrringe.*

> *Das ist Mark. Seine Haare sind schwarz und kurz und er hat braune Augen.*

> *Und das ist Ina. Sie hat glatte rote Haare. Ihre Augen sind grün und sie trägt eine Brille.*

2 👥 Klassen-Ratespiel: **A** beschreibt einen Schüler/eine Schülerin in der Klasse, die Klasse rät.

Beispiel:
A *Er hat kurze blonde Haare. Er ...*
B *Das ist Dave!*
A *Nein! Er hat blaue Augen und ...*

B C ▶

3a 🔊 Hör gut zu. Silke macht einen Wettbewerb. Kopiere den Steckbrief zweimal und schreib Antworten für Silke und Viola.

Name: Silke
Wie siehst du aus/wie sieht sie aus?
Augen: braun
Haare: _____
Ich trage/sie trägt: _____
Lieblingsfarbe: _____
Lieblingsgruppe: _____
Lieblingsfilm: _____

3b Du bist dran! Schreib einen Steckbrief für dich.

3c 👥 „Wie siehst du aus? Was ist dein(e) Lieblings ... ?" **A** fragt, **B** antwortet.

Beispiel:
A *Wie siehst du aus?*
B *Ich habe braune Augen und meine Haare sind kurz und braun.*
A *Was ist dein Lieblingsfilm?*

D E ▶

Noch mal! Kopiere den Steckbrief von Übung 3a. Füll den Steckbrief aus – für deinen besten Freund/deine beste Freundin.

Extra! Gedicht-Wettbewerb: ‚Mein bester Freund/meine beste Freundin'.

Beispiel:

Mein bester Freund heißt Daniel,
Er wohnt in Kaiserstadt ...

Grammatik
im Fokus Possessivpronomen

Possessive adjectives (*Possessivpronomen*) are small words like *my, your, his, her,* etc. They are used with a noun and they take the same endings as *ein/eine/ein*:

> m. Das ist **mein/dein/sein/ihr** Freund.
>
> f. Ist das **meine/deine/seine/ihre** Freundin?
>
> n. Das ist **mein/dein/sein/ihr** Buch.
>
> pl. Wie sind **meine/deine/seine/ihre** Haare?

4 Finde die passenden Wörter.

1 Wie heißt (dein / deine) bester Freund?
2 (Mein / Ihre) bester Freund heißt Mark.
3 (Seine / Dein) Haare sind lockig.
4 (Ihre / Mein) Pferd ist schwarz.
5 Was ist (mein / ihre) Lieblingsfarbe?
6 (Ihre / Mein) Augen sind braun.
7 Was ist (seine / dein) Lieblingsfilm?
8 Wo ist (ihr / seine) Buch?

5a Beschreib Tom und Tina.

> *Beispiel: Mein bester Freund heißt Tom. Seine Haare sind ...*

TOM ——— Name ——— TINA

5b Du bist dran! Schreib eine Beschreibung für dich.

Hilfe

Meine beste Freundin/mein bester Freund ist/heißt ...
Wie sieht er/sie aus?
Wie siehst du aus?

Meine Augen sind blau/braun/grün.
Seine Haare sind blond/braun/rot/schwarz.
Ihre Haare sind lang/kurz/lockig/glatt.

Ich habe blaue/braune/grüne Augen.
Er/sie hat blonde/braune/rote/schwarze/lange/kurze/lockige/glatte Haare.

Ich trage eine Brille/einen Ohrring.
Er/sie trägt Ohrringe.

Mein Lieblingsfilm ist ...
Seine Lieblingsfarbe/Lieblingsmusik ist ...
Ihre Lieblingsgruppe ist ...

Grammatik
im Fokus Adjektive

> Meine Augen sind blau. ➡ Ich habe blau**e** Augen.
>
> Ihre Haare sind lockig. ➡ Sie hat lockig**e** Haare.

6 Schreib neue Sätze mit *Er/sie hat ...*

> *Beispiel: 1 Sie hat rote Haare.*

1 Susis Haare sind rot.
2 Martins Haare sind lang.
3 Tanjas Augen sind grün.
4 Toms Haare sind kurz.
5 Annes Augen sind braun.
6 Daniels Haare sind schwarz.

7 Du bist dran! Wie siehst du aus? Kopiere den Text und füll die Lücken aus.

> Ich heiße _____ . Ich habe _____ Augen und ich habe _____ _____ _____ Haare.

Wie bist du?

You will learn how to ...

✓ describe your own character: *Ich bin immer lustig. Ich bin manchmal launisch.*

✓ describe someone else's character: *Er ist sehr nett. Sie ist nie arrogant.*

✓ explain why you like your best friend: *Ich mag Maja, weil sie immer lieb ist. Ich mag Ulf, weil er nie gemein ist.*

✓ say how you get on with your best friend: *Wir verstehen uns immer gut. Wir streiten uns oft.*

1 Lies die Adjektive. Was ist positiv und was ist negativ? Schreib zwei Listen.
(Du brauchst Hilfe? Schau im Wörterbuch nach.)

frech   launisch   nett   sympathisch

ungeduldig   gemein   arrogant

lieb   lustig

schüchtern   unfreundlich

freundlich

H

2 📼 Jasmin, Annika, Atalay und Sven machen ein Quiz: ‚Wie bist du?' Wie sind sie (✔)? Wie sind sie nicht (✗)? Hör gut zu und mach Notizen.

Beispiel: Jasmin: gemein ✗
launisch ✔

arrogant   lustig   schüchtern   ungeduldig
gemein   launisch   sympathisch

3 👥 Wie bist du (nicht)? Wie ist dein Partner/deine Partnerin (nicht)? Macht Dialoge.

Beispiel:
A Wie bist du?
B Ich bin immer freundlich. Aber ich bin manchmal launisch.
A Wie bist du nicht?
B Ich bin nie unfreundlich.

I   J

Noch mal! 👥 Gedächtnisspiel: Wie bist du?

Beispiel:
A Ich bin launisch.
B Ich bin launisch und nett.
C Ich bin launisch, nett und ungeduldig.

Extra! Schreib ein ‚Adjektiv-ABC'. Schreib dann Sätze – für deine Freunde, Familie, Haustiere usw. (Du brauchst Hilfe? Schau im Wörterbuch nach.)

Beispiel:

A – alt – Meine Freundin ist ziemlich alt.

B – blau – Mein Wellensittich ist blau.

blöd – Mein Bruder ist sehr blöd.

4 Hör gut zu und lies mit.

> *Ich mag Ina, weil sie immer lustig ist! Wir verstehen uns sehr gut.*

> *Und ich mag Susi, weil sie nie launisch ist! Wir streiten uns nie.*

Hilfe

Ich mag ..., weil er immer sympathisch ist.
Ich mag ..., weil sie nie launisch ist.
Wir verstehen uns sehr gut/immer gut.
Wir streiten uns nie/selten/manchmal/oft.

Grammatik im Fokus   *weil*

You can link sentences together with words like *und, aber* or *oder* without changing the word order:

> Ich mag Ulli **und** ich mag Kathi.
> Markus ist nett, **aber** Klaus ist frech!

But some 'linking words' like *weil* (because) change the word order – they send the verb of the second sentence to the end:

> Ich mag Doro. Sie **ist** sehr nett.
> Ich mag Doro, **weil** sie sehr nett **ist**.
>
> Ich mag Erdal. Er **ist** nie unfreundlich.
> Ich mag Erdal, **weil** er nie unfreundlich **ist**.

5 Oliver mag Paula. Füll die Lücken aus.

launisch	ist	manchmal	sie	arrogant	ist

Ich mag Paula, weil ...
1 sie nie ungeduldig _____ .
2 sie _____ schüchtern ist .
3 _____ immer sympathisch ist.
4 sie selten _____ ist.
5 sie oft freundlich _____ .
6 sie nie _____ ist.

6 Lies Ankes Tagebuch. Schreib dann Sätze für sie mit *Ich mag ..., weil ...*

Beispiel:
1 Ich mag Ellen, weil sie nie frech ist.

1 Ellen ist nie frech.
2 Daniel ist immer lieb.
3 Christina ist oft lustig.
4 Tom ist immer nett.
5 Sandra ist selten unfreundlich.
6 Markus ist nie gemein.

7 „Ich mag ..., weil ...“ Macht Dialoge mit den Informationen unten.

Beispiel: A Ich mag Carla, weil sie lustig ist. Und du?
B Ich mag Uwe, weil ...

Carla – lustig	Philipp – freundlich
Uwe – ~~arrogant~~	Tanja – sympathisch
Meike – ~~gemein~~	Max – ~~ungeduldig~~

8 Beschreib deinen besten Freund/deine beste Freundin. Schreib Sätze mit *Ich mag ..., weil ...*

K L ▶

152 ▶

Meine Eltern sind zu streng!

You will learn how to ...

✓ describe your parents: *Meine Mutter ist oft ungeduldig. Mein Stiefvater ist sehr tolerant.*

✓ say how you get on with your parents: *Wir verstehen uns nicht sehr gut.*

✓ say why you argue: *Wir streiten uns, weil ich zu wenig Taschengeld bekomme.*

1a Lies die Briefe.

Liebe Gaby

Mein Vater ist zu streng! Er ist auch ziemlich unfreundlich – das ist gemein, finde ich. Und meine Mutter ist oft ungeduldig. Das ist nicht nett!
Anne (15)

Also, meine Eltern sind sehr lustig. Das finde ich gut. Meine Mutter ist nie unfreundlich und mein Vater ist sehr modern – er ist sehr tolerant!
Jan (14)

Meine Eltern sind sehr nett, aber sie sind sehr altmodisch. Das finde ich nicht gut. Meine Mutter ist immer lieb. Aber mein Vater ist manchmal zu streng.
Nadine (14)

1b Wer sagt ... ?
1 Wir verstehen uns gut.
2 Wir verstehen uns manchmal gut.
3 Wir verstehen uns nicht gut.

1c 🔊 Ist alles richtig? Hör gut zu.

M▸

2a 👥 Wie sind deine Eltern? Wie ist dein Vater/deine Mutter? Macht Dialoge.

Beispiel:
A Wie ist dein Vater?
B Er ist sehr tolerant, aber er ist manchmal ungeduldig ...

2b Schreib einen Brief über deine Eltern. Benutze die Hilfe-Wörter rechts.

Beispiel: *Wir verstehen uns nicht gut, weil mein Vater zu streng ist ...*

Gut gesagt! -b, -g, -t

3a 🔊 Hör gut zu, lies mit und wiederhole.

-b lieb   gelb   halb
-g streng   ungeduldig   lustig   jung
-t nett   tolerant   alt   intelligent   laut

3b 🔊 Hör gut zu, lies mit und wiederhole.

Meine Familie ist nett und laut:
Vati ist lustig und jung,
Mutti ist tolerant und intelligent
Und mein Fisch ist lieb und gelb!

Tipp ▫ Tipp ▫ Tipp

Deine Meinung sagen – mit Takt!

Sag nicht ✗:   Meine Eltern sind sehr doof!
               Das finde ich total blöd!
Sag ✔:   Meine Eltern sind manchmal
               streng. Das finde ich nicht gut.

Hilfe

Mein Vater/Meine Mutter ist ...
Meine Eltern sind ...
zu/sehr/immer/oft/manchmal/nie ...
lieb/lustig/modern/nett/tolerant.
altmodisch/streng/ungeduldig.
Wir verstehen uns gut/nicht gut, weil er/sie ...
    ist/sind.
Das finde ich gut/nicht gut/gemein.

4a Finde die passenden Sätze unten für die Bilder.

Wir streiten uns, weil …

a … ich kein eigenes Zimmer habe.

b … ich kein Taschengeld bekomme.

c … ich zu viel fernsehe.

d … ich selten das Badezimmer putze.

e … ich zu viele Süßigkeiten esse.

f … ich zu viele CDs kaufe.

g … ich nie den Tisch decke.

h … ich nie mein Zimmer aufräume.

4b Ist alles richtig? Hör gut zu.

4c A wählt einen Satz, B antwortet mit *Wir streiten uns, weil …* Dann ist **B** dran.

Beispiel:
A *Ich bekomme kein Taschengeld.*
B *Wir streiten uns, weil ich kein Taschengeld bekomme.*

N

5a Lies Tanjas Brief und die Sätze unten. Sind die Sätze richtig oder falsch?

Liebe Gaby,
meine Eltern sind ziemlich nett. Meine Mutter ist nie ungeduldig und sie ist oft lustig. Aber wir streiten uns, weil ich zu viel fernsehe, weil ich zu viele Zeitschriften kaufe, weil ich nie zu Hause helfe … Und mein Vater? Er ist nie ungeduldig – das finde ich nicht schlecht. Aber wir verstehen uns nicht gut, weil er manchmal altmodisch ist. Wir streiten uns oft, weil ich kein Taschengeld bekomme. Das finde ich doof!
Tanja (15)

Meine Eltern sagen:
1 Ich sehe zu viel fern.
2 Ich kaufe zu viele CDs.
3 Ich helfe immer zu Hause.

Ich sage:
4 Wir streiten uns, weil sie streng sind.
5 Meine Mutter ist altmodisch.
6 Ich bekomme kein Taschengeld.

5b Du bist dran! „Meine Eltern und ich – wir streiten uns, weil …" Schreib einen Brief an ‚Liebe Gaby'.

O

Ich muss immer zu Hause helfen!

You will learn how to ...

✓ say what you have to do: *Ich muss um 19 Uhr zu Hause sein. Ich muss jeden Abend lernen.*

✓ say what you're not allowed to do: *Ich darf nicht fernsehen. Ich darf keine Freunde nach Hause einladen.*

1 🔊 Oliver schreibt einen Brief an ‚Liebe Gaby'. Hör gut zu und lies mit.

Ich muss um 19 Uhr zu Hause sein.

Ich muss jeden Abend lernen.

Ich muss immer zu Hause helfen.

Ich darf nicht fernsehen.

Ich darf nicht in die Disco gehen.

Ich darf keine Freunde nach Hause einladen.

2a Finde die passenden Bilder für die Sätze.

1 Ich darf nicht in den Ferien arbeiten.
2 Ich muss um 21 Uhr ins Bett gehen.
3 Ich darf keine Musik im Wohnzimmer hören.
4 Ich muss jeden Tag abwaschen.
5 Ich darf nicht in Konzerte gehen.
6 Ich muss samstags um 20 Uhr zu Hause sein.

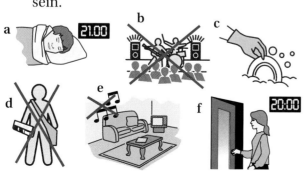

2b 🔊 Hör gut zu und lies dann die Sätze von Übung 2a. Was sagt Hanna – und was sagt Thomas?

2c 👥 Ratespiel: Wer ist das? **A** fragt, **B** antwortet. Dann ist **B** dran.

Beispiel:
A Ich muss jeden Tag abwaschen.
B Du bist Hanna!
A Ja, richtig!

2d 👥 Du bist dran! Was musst du zu Hause machen? Was darfst du nicht machen? Macht weitere Dialoge.

Beispiel:
A Ich darf nicht in Konzerte gehen.
B Und ich muss jeden Tag abwaschen.

P Q ▶

Grammatik
im Fokus *ich muss ..., ich darf nicht/kein(e) ...*

If you want to talk about what you have to and are not allowed to do, you use the verbs *müssen* (*ich muss*) and *dürfen* (*ich darf*). These verbs are called modal verbs and they send the main verb to the end of the sentence – in the infinitive form:

Ich **helfe** zu Hause. ➡	Ich **muss** zu Hause **helfen**.
Ich **wasche ab**. ➡	Ich **muss abwaschen**.
Ich **gehe** in die Disco. ➡	Ich **darf** nicht in die Disco **gehen**.
Ich **höre** Musik. ➡	Ich **darf** keine* Musik **hören**.

*Ich darf nicht ... becomes *Ich darf keinen/keine/ kein/keine ...* when it is followed immediately by a noun rather than a verb.

3 Schreib die Sätze richtig auf.

Beispiel:
1 Ich darf nicht fernsehen!

1 darf / Ich / fernsehen / nicht / !
2 muss / Ich / abwaschen / !
3 Fastfood / darf / essen / kein / Ich / !
4 lernen / Ich / abends / muss / !

4a Schreib neue Sätze mit *Ich muss ...*

Beispiel:
1 Ich muss in die Schule gehen.

1 Ich gehe in die Schule.
2 Ich decke den Tisch.
3 Ich putze das Badezimmer.
4 Ich mache Hausaufgaben.

4b Jetzt schreib neue Sätze mit *Ich darf nicht/keine ...*

Beispiel:
1 Ich darf nicht in die Disco gehen.

1 Ich gehe in die Disco.
2 Ich lade Freunde ein.
3 Ich arbeite samstags.
4 Ich höre Musik.

5 Du bist dran! Was musst/darfst du nicht zu Hause machen? Schreib einen Brief an ‚Liebe Gaby'.

R S ▶

Tipp ▫ Tipp ▫ Tipp

Wörterbuchhilfe: Trennbare Verben

Trennbare Verben haben zwei Teile:

	Verb		Präfix
Ich	**wasche**	jeden Tag	**ab**.

Wie findest du trennbare Verben im Wörterbuch?

ab/waschen *tr. V.* wash up

Das Präfix steht immer vor dem Verb.   *tr.* = trennbares Verb

6 W📖 Finde die Infinitive für diese Verben.

Beispiel: 1 aufstehen

1 Ich stehe um 8 Uhr auf.
2 Ich räume mein Zimmer auf.
3 Ich ziehe mich an.
4 Ich kaufe morgens ein.
5 Ich sehe gern fern.
6 Ich ziehe mich aus.

Thema im Fokus

1a Lies die Problembriefe. Finde dann die passenden Überschriften.

a Meine Eltern sind nicht fair!

b Die Wohnung ist zu klein!

c Mein Problem: Essen zu Hause!

d Tierfreundin ohne Tier

1 Lieber Dr. Sommer,
ich bin 14 Jahre alt. Meine Mutter und ich – wir wohnen in Berlin und mein Vater wohnt in Hamburg. Ich fahre zweimal pro Monat nach Hamburg. Das Problem: Ich habe kein eigenes Zimmer in Hamburg – ich muss im Wohnzimmer schlafen. Ich habe keinen eigenen Bereich*! Ich muss immer aufräumen, ich darf keine Musik hören, ich darf abends nicht fernsehen … Ich finde das doof und wir streiten uns oft.
Markus

2 Lieber Dr. Sommer,
ich bin 14 und ich bin Einzelkind.Ich mag Tiere – Tiere sind mein Lieblingshobby! Aber das ist auch ein Problem: Ich darf kein Haustier haben. Aber Ich möchte einen Hund! Meine Mutter sagt: „Hunde sind groß und laut und Hunde machen viel Arbeit*! Und Hunde sind teuer!" Ich sage: „Aber ich füttere den Hund, ich gehe mit dem Hund in den Park … Und ich spare gern für einen Hund!" Aber die Antwort ist immer: „Nein!!" Das ist gemein!
Wiebke

3 Lieber Dr. Sommer,
ich bin 13 und ich wohne in Dresden. Ich bin Vegetarierin – ich esse kein Fleisch und keinen Fisch. Mein Problem ist meine Mutter: Sie kocht jeden Abend für die Familie – immer Fleisch oder Fisch … Sie sagt immer: „Kein Fleisch?? Das ist nicht gut – du musst jeden Tag Fleisch essen!" Aber das ist falsch, finde ich.
Heino

4 Lieber Dr. Sommer,
ich bin 14 Jahre alt und ich habe einen Bruder – er ist 15 Jahre alt.
Mein Problem: Ich muss immer zu Hause helfen, aber mein Bruder muss nie helfen! Ich muss jeden Tag abwaschen – und mein Bruder hört Musik! Ich muss den Tisch decken, ich muss das Badezimmer putzen, ich muss das Wohnzimmer aufräumen – und er sieht fern! Ich finde das ungerecht! Aber meine Eltern sagen: „Zu Hause helfen – das ist nichts für Jungen!"
Karina

*keinen eigenen Bereich – no privacy
*machen viel Arbeit – to be a lot of work

1b Mach eine Klassenumfrage: ‚Probleme mit den Eltern'. Schreib 5 Sätze.

```
1 Ich bekomme kein Taschengeld.
2 Ich habe kein eigenes Zimmer.
3 Ich muss …
```

1c Frag die Schüler/Schülerinnen: „Kein Taschengeld – ist das ein Problem?" usw. Notiere die Antworten.

Beispiel:

```
Jessica: 1, 3 …
```

1d Was ist das Problem Nummer eins? Schreib die Resultate auf (z. B. mit dem Computer).

1e Finde [Kassettenrekorder]. Mach eine Kassette mit den Informationen für eine Radiosendung in Deutschland.

Beispiel:

> Probleme mit den Eltern: Was ist das Problem Nummer eins? Acht Schüler und Schülerinnen sagen: Ich muss zu Hause helfen – das ist das Problem Nummer eins. Sechs Schüler …

Lilli Lila spielt in Filmen – sie ist Schauspielerin. Ihr neuer Film heißt *Lilli rennt*.

Name: Lilli
Alter: 23

Wie siehst du aus?
Augen: blau
Haare: rot
Ich trage: Ohrringe

Wie bist du?
Lieblingsfarbe: lila
Lieblingsgruppe: Fettes Brot
Lieblingsfilm: Lilli rennt
Lieblingshobby: Lesen
Ich bin: immer lustig, oft ungeduldig,
  manchmal launisch, nie gemein

2a Schreib einen Steckbrief für deinen Lieblingsstar (Musik, Fernsehen, Sport). Finde auch Fotos.

2b Wie ist er/sie? Finde andere Adjektive im Englisch-Deutsch-Wörterbuch. Dann frag deinen Lehrer/deine Lehrerin: „Wie sagt man ‚cool'?" usw.

2c Schreib auch einen kurzen Artikel. (Tipp – der Artikel unten ist dein Modell – ändere nur die Wörter in Grau.)

Mein Lieblingsstar:
Mein Lieblingsstar heißt Lilli Lila. Sie ist 23 Jahre alt. Sie hat rote Haare und ihre Augen sind blau. Sie trägt Ohrringe. Ihre Lieblingsfarbe ist lila. Ihre Lieblingsgruppe ist *Fettes Brot* und ihr Lieblingsfilm ist *Lilli rennt*. Lillis Lieblingshobby ist Lesen. Lilli ist immer lustig, aber oft ungeduldig. Sie ist auch manchmal launisch, aber sie ist nie gemein – das finde ich gut.

Kannst du … ?

✓ fragen:	*Wie siehst du aus? Wie sieht er aus?*
✓ dich und deine Freunde beschreiben:	*Ich habe braune Augen. Meine Haare sind blond. Sie hat rote Haare. Meine beste Freundin heißt Ina. Sie trägt eine Brille. Ihre Lieblingsgruppe ist …*
✓ deinen Charakter beschreiben:	*Ich bin immer lustig. Ich bin manchmal launisch.*
✓ deine Freunde beschreiben:	*Er ist sehr nett. Sie ist nie arrogant. Ich mag Maja, weil sie immer lieb ist. Ich mag Ulf, weil er nie gemein ist.*
✓ sagen:	*Wir verstehen uns immer gut. Wir streiten uns oft.*
✓ deine Eltern beschreiben:	*Meine Mutter ist oft ungeduldig. Mein Stiefvater ist sehr tolerant.*
✓ sagen:	*Wir verstehen uns nicht sehr gut. Wir streiten uns, weil ich zu wenig Taschengeld bekomme.*
✓ sagen:	*Ich muss um 19 Uhr zu Hause sein. Ich muss jeden Abend lernen.*
✓ sagen:	*Ich darf nicht fernsehen. Ich darf keine Freunde nach Hause einladen.*

Und Grammatik im Fokus … ?

✓ Possessivpronomen	*mein Freund, deine Freundin, sein Pferd, ihre Augen*
✓ Adjektive	*Sie hat rote Haare. Er hat blaue Augen.*
✓ weil	*Ich mag Doro, weil sie sehr nett ist. Ich mag Erdal, weil er nie unfreundlich ist.*
✓ ich muss …, ich darf nicht/kein(e) …	*Ich muss zu Hause helfen. Ich muss abwaschen. Ich darf nicht in die Disco gehen. Ich darf keine Musik hören.*

Wiederholung

1a 🔊 Hör gut zu. Kai, Benedikt und Astrid beschreiben die Ferien. Kopiere die Tabelle und füll sie aus.

	Wohin?	Wie?	Was gemacht?
Kai			
Benedikt			
Astrid			

1b 👥 Ist alles richtig? Macht Dialoge.

Beispiel:

A *Wohin bist du gefahren, Kai?*
B *Ich bin nach Irland gefahren.*
A *Und wie bist du dorthin gefahren?*
B *Ich bin mit dem Auto gefahren.*
A *Und was hast du gemacht?*
B *Ich bin ins Schwimmbad gegangen und ich bin Rad gefahren.*

2a Lies die Postkarte von Katja und beantworte die Fragen.

Hallo Seeta!
Im Sommer bin ich nach Bangor in Wales gefahren. Wir haben einen Ausflug gemacht und ich habe Eis gegessen und Cola getrunken. Wir haben in einer Ferienwohnung gewohnt. Das Wetter war windig, aber es war sehr heiß. Es war toll!

Tschüs
Katja

1 Wohin ist Katja gefahren?
2 Wann ist sie gefahren?
3 Was hat sie gemacht?
4 Wo hat die Familie gewohnt?
5 Wie war das Wetter?
6 Wie war das alles?

2b Schreib zwei Postkarten (so wie Katja) mit den Informationen unten.

Beispiel: *Ich bin nach Spanien gefahren und ich ...*

2c Nimm jetzt die Informationen auf Kassette auf.

3a Lies den Brief von Maja.

Liebe Christina!
Du fragst: Wie ist mein Alltag? Also, um halb sieben stehe ich auf und ich ziehe mich an. Ich frühstücke dann – ich esse Toast und ich trinke Tee. Ich helfe immer zu Hause und um sieben Uhr wasche ich ab. Ich räume jeden Tag mein Zimmer auf und ich gehe danach in die Schule. Um zwei Uhr kaufe ich für meine Mutter ein und dann gehe ich nach Hause. Ich kaufe einmal pro Tag ein. Abends decke ich den Tisch und ich füttere meine Katze. Sie heißt Mimi. Um neun Uhr wasche ich mich und ich ziehe mich aus. Um halb zehn gehe ich ins Bett.

Tschüs
Maja

3b Du bist dran! Beschreib deinen Alltag wie Maja.

Beispiel: *Um halb acht stehe ich auf und dann frühstücke ich ...*

4a [🔊] Interview im Radio. Hör gut zu und lies die Sätze. Sind sie richtig oder falsch?

1 Udo kauft jeden Tag ein.
2 Er räumt sein Zimmer gern auf.
3 Er bekommt nie Taschengeld von seinem Vater.
4 Er hat zwei Nebenjobs.
5 Udo nicht trägt gern Zeitungen aus.
6 Er arbeitet nicht gern im Garten.
7 Er bekommt Taschengeld von seinen Großeltern.
8 Udo spart gar nichts.

4b [🔊] Hör noch einmal gut zu und korrigiere die falschen Sätze.

Beispiel: 1 Udo kauft einmal pro Woche ein.

4c 👥 Macht ein Interview so wie in Übung 4a.

☐ Wie hilfst du zu Hause?
☐ Bekommst du Taschengeld?
☐ Wie viel Taschengeld bekommst du?
☐ Was kaufst du oder sparst du?
☐ Hast du einen Nebenjob?
☐ Wie findest du den Job?

5 👥 Ratespiel: **A** wählt einen Jungen und beschreibt ihn, **B** rät. Dann ist **B** dran.

Beispiel:
A *Er hat kurze, glatte, schwarze Haare und er trägt eine Brille ...*

6a Lies Marks Brief.

Lieber Thomas,

wie sind deine Eltern? Meine Eltern sind sehr streng und wir verstehen uns gar nicht gut. Mein Vater ist sehr ungeduldig und wir streiten uns oft, weil ich keine Musik in meinem Zimmer hören darf. Ich muss Musik im Wohnzimmer hören und das mag ich nicht. Ich darf auch keine Freunde nach Hause einladen, weil ich immer zu Hause helfen muss. Meine Mutter sagt auch, ich muss jeden Abend lernen, weil ich in der Schule nicht sehr gut bin.

Aber meine Großeltern sind einfach prima. Wir verstehen uns sehr gut, weil sie gar nicht altmodisch sind. Sie sind lieb und nie gemein. Ich bekomme pro Woche 20 Euro Taschengeld von meinen Großeltern, weil ich zu Hause nie genug Taschengeld bekomme. Abends darf ich sogar bei meinen Großeltern fernsehen, weil sie tolerant und ganz modern sind.

Und du? Wie sind deine Eltern und Großeltern?

Dein Mark

6b Du bist dran! Wie sind deine Eltern/ Großeltern? Schreib einen Antwortbrief an Mark.

7 👥 Gedächtnisspiel: Was darfst du nicht machen? Was musst du machen?

Beispiel:
A *Ich darf nicht fernsehen.*
B *Ich darf nicht fernsehen und ich darf keine ...*

A *Ich muss abwaschen.*
B *Ich muss abwaschen und ich muss ...*

4 Die Klasse!-Clique
Folge 4

Hmm ... Er ist so nett!

Alexander: Hallo, Annika! Ich glaube, das ist dein Fahrrad!
Annika: Ja!! Oh, danke – vielen Dank! Wo hast du das gefunden?
Alexander: Ich war gestern in der Stadt und da war dein Fahrrad – am Markt!
Annika: Oh, danke Alexander! Oh, Alexander, das ist Jasmin – Jasmin, das ist Alexander.
Alexander: Hallo!
Jasmin: Tag, Alexander!

Später in der Stadt ...
Jasmin: Annika, Annika! Dort drüben ... da ist Alexander!
Annika: Wo? Wo?
Jasmin: Dort links! Er trägt eine schwarze Jeans und ein graues Hemd ... Oh, er sieht super aus!
Annika: Also ... gefällt dir Alexander, Jasmin?
Jasmin: Ja!

Annika: Hallo, Sven! Wie geht's?
Jasmin: Bist du auch zum Ausverkauf gefahren? Was hast du gekauft? Ich habe zwei T-Shirts gekauft – und Annika hat drei Pullover gekauft!
Sven: Was? Nein ... ich – ich muss nach Hause ...

Was hat Sven? Er ist so ernst – und so traurig ...

Fortsetzung folgt ...

1a Was meinst du? Vor dem Lesen: Rate!

   1 Alexander hat …

      a Annikas Hund.

      b Annikas Fahrrad.

   2 Annika und Jasmin sind …

      a in die Stadt gefahren.

      b in den Park gegangen.

   3 Jasmin findet Alexander …

      a toll und sympathisch.

      b langweilig und arrogant.

   4 Jasmin und Annika haben …

      a Bücher für die Schule gekauft.

      b Kleidung gekauft.

   5 Sven ist heute …

      a lustig und laut.

      b ernst und leise.

1b 📼 Ist alles richtig? Hör gut zu und lies mit.

2 Finde im Text:

   1 vier Kleidungsstücke

   2 zwei Farben

   3 drei Adjektive für Personen (wie bist du?)

3 Sind die Sätze richtig oder falsch?

   1 Annikas Fahrrad war am Markt.

   2 Alexander trägt eine weiße Jeans.

   3 Er trägt auch einen Pullover.

   4 Jasmin und Annika sind zum Ausverkauf gefahren.

   5 Jasmin hat T-Shirts gekauft.

   6 Annika hat nichts gekauft.

 Viel Spaß!

📼 *Ausverkauf*

Junge Mode im Ausverkauf!
Junge Mode im Ausverkauf!

Ich kaufe dieses T-Shirt
Wie gefällt es dir?
Es gefällt mir leider nicht
Denn es ist viel zu klein!

Refrain

Ich kaufe diese Hose
Wie gefällt sie dir?
Sie gefällt mir leider nicht
Denn sie ist viel zu kurz!

Refrain

Ich kaufe diese Bluse
Wie gefällt sie dir?
Sie gefällt mir leider nicht
Denn sie ist viel zu eng!!

Refrain

Ich kaufe diese Mütze
Wie gefällt sie dir?
Sie gefällt mir leider nicht
Denn sie ist viel zu gelb!

Refrain

A ▶

Was hast du gekauft?

You will learn how to ...

✓ ask others what clothes they have bought: *Was hast du gekauft?*

✓ say what clothes you have bought: *Ich habe T-Shirts gekauft. Ich habe zwei Hemden gekauft.*

1a Jasmin ist in die Stadt gefahren. Es ist Ausverkauf – alles ist billig!
Was hat sie gekauft? Finde die passenden Sätze für die Bilder.

a *Und ich habe Schuhe gekauft.*

b *Ich habe auch zwei Blusen gekauft.*

c *Ich habe zwei T-Shirts gekauft.*

d *Ich habe zwei Pullover gekauft.*

e *Ich habe zwei Röcke gekauft.*

1b 📼 Ist alles richtig? Hör gut zu.

1c 📼 Sind die Sätze richtig oder falsch? Hör gut zu und korrigiere die falschen Sätze.

1 Annika hat einen Computer gekauft.
2 Jasmin hat sehr viel gekauft.
3 Sie mag Schwarz nicht gern.
4 Annika findet die T-Shirts gut.
5 Die Röcke sind ziemlich altmodisch.
6 Die Pullover sind gelb und grün.

B C ▶

Hilfe

Was hast du gekauft?
Ich habe zwei/drei ... gekauft.
Blusen/Hemden/Jacken/Pullover/T-Shirts
Hosen/Jeans/Röcke/Mützen/Rucksäcke/Schuhe

Gut gesagt! Vokale und Umlaute

2a 📼 Hör gut zu und lies mit.

u	eine Bluse
o	ein Rock
i	ein Ohrring
a	eine Jacke
e	ein Hemd
ü	eine Mütze
ö	Röcke
ä	Rucksäcke

2b 📼 Hör gut zu und wiederhole.

Meine Hose ist rot,
meine Schuhe sind super!
Mein Pullover ist groß,
mein Hemd ist gelb!
Meine Tasche ist schwarz,
meine Mütze ist grün
und meine Röcke sind schön!

Grammatik im Fokus Plural

There are many different plural forms in German. When you learn a new noun, try to learn its plural as well. Here are some plural forms:

ein T-Shirt	➡	zwei T-Shirts	(-s)
eine Bluse	➡	zwei Blusen	(-n)
ein Schuh	➡	zwei Schuhe	(-e)
ein Rock	➡	zwei Röcke	(ö -e)
ein Pullover	➡	zwei Pullover	(-)

3a Was ist der Singular für diese Plural-Wörter? Schreib die Wörter auf.

Beispiel: *1 eine Jacke*

zwei ...

1 Jacken
2 Hosen
3 Hemden
4 Mützen
5 Rucksäcke
6 Jeans

3b Ist alles richtig? **A** fragt, **B** antwortet. Dann ist **B** dran.

Beispiel: *A Zwei Jacken.*
B Eine Jacke.
A Richtig!

4 Deine Schwestern haben Geburtstag. Du hast Kleidung usw. für sie gekauft. Was hast du gekauft? Schreib Sätze.

Beispiel:
Ich habe zwei Rucksäcke gekauft.

D

141

5 Gedächtnisspiel: Was hast du gekauft?

Beispiel:
A Ich habe zwei Jacken gekauft.
B Ich habe zwei Jacken und drei Rucksäcke gekauft.

E

Noch mal! Schau die Bilder auf Seite 48–49 an. Wie viele Kleidungsstücke siehst du? Schreib eine Liste.

Beispiel: *zwei Mützen, vier ...*

Extra! Was hast du in deinem Kleiderschrank? Schreib eine Kleidungsliste.

Beispiel: *Ich habe eine Jacke. Ich habe auch zwei Jeans und ich habe drei Hosen.*

Tipp Tipp Tipp

Wörterbuchhilfe: Plural

Ein Ohrring – zwei ... ?

Schau im Deutsch-Englisch-Wörterbuch nach:

Ohrring der; ~ **es;** ~ **e** earring

Plural = immer vor dem Wort auf Englisch

Two tracksuits – wie heißt das auf Deutsch?

Schau im Englisch-Deutsch-Wörterbuch nach:

tracksuit *n.* Trainingsanzug, *der;* ~ ü -e

6 Du hast Schreibwaren gekauft. Finde den Plural für die Wörter.

1 ein Rechner
2 ein Heft
3 ein Kuli
4 eine Tasche
5 ein Buch
6 ein Lineal

Wie gefällt dir diese Jeans?

You will learn how to ...

✓ ask others their opinion on items of clothes: *Wie gefällt dir dieser Rock? Welche Jacke gefällt dir?*

✓ give your opinion on items of clothes: *Er gefällt mir nicht so gut. Sie ist zu klein.*

1a 🔊 Hör gut zu und lies mit.

> *Wie gefällt dir dieser Rock?*

> *Er gefällt mir gar nicht. Aber wie gefallen dir diese Schuhe? Sie gefallen mir sehr gut!*

> *Welche Jeans gefällt dir?*

> *Diese Jeans! Und welches T-Shirt gefällt dir?*

1b Wer sagt was? Schreib die passenden Namen auf.

1 „Dieser Rock ist nicht schön.“
2 „Diese Jeans ist schön.“
3 „Diese Schuhe sind sehr schön.“

Hilfe

Wie gefällt dir dieser/diese/dieses ... ?
Welcher/Welche/Welches ... gefällt dir?
Er/sie/es gefällt mir gut.
Er/sie/es gefällt mir gar nicht.

Wie gefallen dir diese ... ?
Welche ... gefallen dir?
Sie gefallen mir nicht so gut.

1c 👥 Du bist dran! Wie gefällt dir die Kleidung in den Fotos? Macht Dialoge.

Beispiel:
A Dieser Rock ist nicht schön!
B Aber dieses T-Shirt ist schön!

2a 🔊 Hör gut zu. Was sagen Leonie und Ingo – wie finden sie die Kleidung? Kopiere die Tabelle und schreib ✔ (gefällt mir) oder ✗ (gefällt mir nicht).

	Hemd	Hose	Jacke	Jeans	Pullover	Rock	Schuhe	T-Shirt
Leonie								
Ingo								✗

2b 👥 Macht Dialoge für Leonie und Ingo.

Beispiel:
A Wie gefällt dir dieses T-Shirt?
B Es gefällt mir nicht so gut.

F G ▷

Grammatik
im Fokus   dieser ... /welcher ... ?

	this/that ...	which ... ?
Maskulinum	dieser Pullover	welcher Pullover?
Femininum	diese Bluse	welche Bluse?
Neutrum	dieses Hemd	welches Hemd?
Plural	diese Schuhe	welche Schuhe?

3a Füll die Lücken mit *dieser, diese* und *dieses* aus.

1 _____ Jeans ist super!
2 _____ Pullover kostet 25 Euro.
3 _____ Schuhe sind toll!
4 _____ Hemd ist sehr teuer.
5 _____ Jacke ist nicht schön.
6 _____ Röcke sind sehr modern.
7 _____ T-Shirt ist ziemlich billig.
8 _____ Rucksack kostet 30 Euro.

3b Schreib Fragen mit *welcher, welche* und *welches* für die Sätze in Übung 3a.

Beispiel: 1 *Welche Jeans ist super?*

4  Hör gut zu und lies mit.

a *Dieses T-Shirt ist zu klein!*

b *Dieser Pullover ist zu groß!*

c *Diese Schuhe sind zu teuer!*

d *Dieses Hemd ist zu eng!*

e *Diese Jeans ist zu kurz!*

f *Dieser Rock ist zu lang!*

5a  Tom kauft Kleidung. Wie ist alles – was sagt er? Macht Dialoge.

Beispiel:
A *Diese Hose ist zu kurz!*
B *Ja, und diese Hose ist auch zu eng!*

5b Zeichne andere Kleidung – so wie in Übung 5a. Schreib Sätze.

Beispiel: *Diese Hose ist zu lang.*

Was trägst du zur Schule?

1a Hör gut zu und lies mit.

Tina

Markus

Anja

Tim

Ich trage ...
eine weiße Bluse
einen roten Rock
einen grauen Pullover

Ich trage ...
eine blaue Jeans
ein grünes Sweatshirt
braune Schuhe

Ich trage ...
ein gelbes Kleid
eine grüne Jacke
eine rote Strumpfhose

Ich trage ...
ein weißes Hemd
eine blaue Krawatte
eine schwarze Hose

1b Ratespiel: Wer ist das? **A** wählt eine Person von Übung 1a, **B** rät. Dann ist **B** dran.

Beispiel:

A *Ich trage einen roten Rock, eine weiße Bluse und einen ...*

B *Du bist Tina!*

A *Ja, richtig!*

1c Zeichne deine Schuluniform (so wie in Übung 1a) und schreib die Wörter auf.

Hilfe

Was trägst du zur Schule?

Ich trage	einen grünen Pullover.
	einen schwarzen Rock.
	eine weiße Bluse/Jacke.
	eine blaue Hose/Jeans.
	eine rote Krawatte/ Strumpfhose.
	ein weißes Hemd/Kleid.
	ein gelbes Sweatshirt/T-Shirt.
	braune/schwarze Schuhe.

Wiederholung die Farben

blau braun gelb grau grün

lila orange rosa rot

schwarz weiß

Grammatik
im Fokus *Ich trage einen/eine/ein + Adjektiv*

m. Ich trage einen Rock. ➡ Ich trage einen blau**en** Rock.

f. Ich trage eine Hose. ➡ Ich trage eine schwarz**e** Hose.

n. Ich trage ein Hemd. ➡ Ich trage ein weiß**es** Hemd.

Achtung – keine Endung!

Ich trage einen lila/rosa Rock.

Ich trage eine lila/rosa Hose.

Ich trage ein lila/rosa T-Shirt.

2a Eine Schule in Deutschland macht eine Umfrage: *Was trägst du zur Schule?* Hier sind zwei Antworten. Kopiere die E-Mails und füll die Lücken aus.

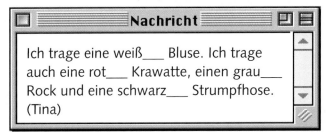

> **Nachricht**
>
> Ich trage eine weiß___ Bluse. Ich trage auch eine rot___ Krawatte, einen grau___ Rock und eine schwarz___ Strumpfhose. (Tina)

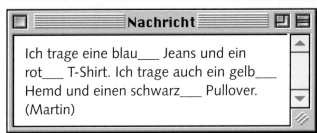

> **Nachricht**
>
> Ich trage eine blau___ Jeans und ein rot___ T-Shirt. Ich trage auch ein gelb___ Hemd und einen schwarz___ Pullover. (Martin)

2b Was sagen Sabine und Alex? Schreib zwei Antworten für sie.

K L M ➤

Noch mal! Was trägt dein Lieblingsstar? Finde Fotos und mach ein Poster.

Beispiel:

eine Mütze (schwarz)

ein Pullover (schwarz)

Extra! Mach ein ‚Junge Mode'-Poster. Finde Fotos und schreib dann Sprechblasen für die Jugendlichen. Und wie findest du alles? Schreib Sätze.

Beispiel:

Ich trage einen blauen Rock und eine schwarze Bluse. Dieser Rock gefällt mir nicht. Er ist zu kurz. Diese Bluse gefällt mir aber sehr.

Tipp □ Tipp □ Tipp

Einen Text entwerfen

□ Lies deinen ersten Text gut.

□ Lies noch einmal und korrigiere:
  – Sind alle Endungen richtig? (Adjektive, Verben, Nomen – Plural und Singular usw.)
  – Sind alle Umlaute richtig?
  – Hast du alle Wörter richtig geschrieben?
  – Zeig deinen Text deinem Partner/deiner Partnerin oder deinem Lehrer/deiner Lehrerin. Korrigiere noch einmal.

□ Schreib jetzt deinen Text richtig auf!

144 ➤

Ich trage am liebsten eine Jeans!

You will learn how to ...

✓ ask others what clothes they like: *Was trägst du gern?*

✓ say what clothes you like and dislike: *Ich trage gern Röcke. Ich trage nicht gern Hosen.*

✓ ask and say what your favourite clothes are: *Was trägst du am liebsten? Ich trage am liebsten T-Shirts.*

✓ ask for and give opinions on school uniform: *Wie findest du deine Uniform? Meine Uniform gefällt mir gut. Meine Uniform ist schlecht, weil sie altmodisch ist.*

1a 📼 Was trägst du am liebsten/gern/nicht gern? Was sagen Annika, Jasmin, Sven und Atalay? Hör gut zu und finde die passenden Bilder.

Beispiel: Annika: am liebsten – b
gern – ...

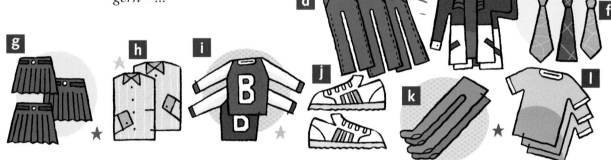

1b 👥 Wer ist das? **A** fragt, **B** antwortet. Dann ist **B** dran.

Beispiel:
A Ich trage am liebsten T-Shirts.
B Du bist Sven!
A Richtig!

2a 👥 Mach eine Umfrage: „Was trägst du am liebsten? Was trägst du (nicht) gern?"

2b Schreib die Resultate für drei Schüler/Schülerinnen auf (z. B. mit dem Computer).

Beispiel:
Sarah: Ich trage am liebsten Jeans.
Ich trage auch gern Sweatshirts.
Ich trage nicht gern Röcke.

N O ▶

Wiederholung   *gern*

Ich trage einen Rock.	➡	Ich trage **gern** Röcke.
Ich trage eine Hose.	➡	Ich trage **nicht gern** Hosen.
Ich trage ein T-Shirt.	➡	Ich trage **am liebsten** T-Shirts.

144 ▶

Hilfe

Ich trage	am liebsten	Blusen/Hemden/T-Shirts.
	gern	Jacken/Pullover/Sweatshirts.
	nicht gern	Hosen/Jeans/Kleider/Röcke.
		Krawatten/Strumpfhosen.
		Turnschuhe.

3a Lies die Sprechblasen. Wer ist Schüler/ Schülerin in Deutschland – und wer ist Schüler/Schülerin in Großbritannien?

1 Ich trage eine Uniform. Ich trage einen schwarzen Rock, eine weiße Bluse und eine grüne Krawatte. Und ich trage eine graue Jacke. (Anna)

2 Ich trage keine Uniform! Ich trage Jeans und ein gelbes T-Shirt. Ich trage auch ein Sweatshirt und weiße Turnschuhe. (Martin)

3b [🔊] Ist alles richtig? Hör gut zu.

4a [W💻] Wie findest du deine Uniform? Hier sind einige Adjektive. Was ist positiv und was ist negativ? Schreib zwei Listen. (Du brauchst Hilfe? Schau im Wörterbuch nach.)

altmodisch	praktisch	modern	schön
bequem	schlecht	gut	unbequem
hässlich		schrecklich	

4b [🔊] Was sagen Sarah, James, David und Jessica? Hör gut zu und schreib die passenden Adjektive auf.

Beispiel: Sarah: praktisch, gut, ...

[P]▶

Hilfe

Wie findest du deine Uniform?
Wie gefällt dir deine Uniform?

Meine Uniform gefällt mir (nicht so) gut/gar nicht.

Ich finde meine Uniform ...
Meine Uniform ist ...

Meine Uniform ist gut/schlecht, weil sie ... ist.

5 [👥] Mach eine Umfrage. Frag: „Wie findest du deine Uniform?" Schreib die Resultate auf.
Beispiel:

10 Schüler/Schülerinnen sagen: „Meine Uniform gefällt mir gar nicht."
6 Schüler/Schülerinnen sagen: „Ich finde meine Uniform altmodisch."

Noch mal! [👥] Macht acht Adjektiv-Karten (sieh Übung 4a). A wählt eine Karte und beschreibt seine/ihre Uniform mit dem Adjektiv. Dann ist **B** dran.
Beispiel:
A (schön) Ich finde meine Uniform schön!

Extra! Mach eine Kassette: ‚Schuluniformen in meiner Stadt'. Wie findest du die Uniformen? Mach eine ‚Uniform-Hitparade'!
Beispiel:

Die Schüler der Sudbourne School tragen ein rotes Sweatshirt, eine schwarze Hose und ein weißes Hemd. Ich finde diese Uniform gut, weil sie bequem und praktisch ist. Diese Uniform ist auch sehr modern – ich finde, sie ist die Nummer eins!

[Q] [R]▶

Tipp ▫ Tipp ▫ Tipp

Hören im Detail

Vor dem Hören:
▫ Lies die Übung gut. Was musst du machen?
▫ Was ist das Thema? Was glaubst du – welche Wörter oder Sätze hörst du?
▫ Lies die Fragen gut. Denk nach – welche Antworten wirst du hören?

Beim Hören:
▫ Konzentriere dich gut.
▫ Hör gut zu – wie sprechen die Personen (z. B. freundlich, ernst, lustig usw.)? Das hilft dir.
▫ Du verstehst nicht jedes Wort? Das ist kein Problem – hör nicht mit der Hörübung auf!

Neue Kleidung für die Lehrer!

Die Klasse 9D aus Augsburg schreibt an die Jugendzeitschrift JUMA. Das Problem: Die Klasse findet modische Kleidung gut – auch für Lehrer und Lehrerinnen! „Aber unsere Lehrer und Lehrerinnen tragen am liebsten langweilige Kleidung!" schreibt Yvonne (15).
Das Resultat: JUMA macht mit der Klasse einen Einkaufsbummel für die Lehrer!

> Ich trage am liebsten Jeans und Pullover. Ich trage auch eine Weste – Westen sind sehr bequem.

> Ich trage gern Hosen und Jacken. Ich trage nicht gern Kleider.

> Ich trage am liebsten Hosen und T-Shirts! Das ist praktisch, finde ich.

Vorher

> Ich trage eine grüne Weste, einen Pullover in Orange und einen Minirock in Orange. Ich trage auch eine weiße Strumpfhose und schwarze Schuhe und ich habe einen silbernen Rucksack. Dieser Minirock ist zu kurz, finde ich!

Nachher

> Ich trage eine braune Latzhose und einen braunen Pullover. Ich trage auch eine schwarze Mütze und braune Turnschuhe. Diese Kleidung gefällt mir sehr gut! Sie ist sehr bequem!

> Ich trage ein graues Sweatshirt und ein weißes T-Shirt. Ich trage auch eine rote Hose und ein blaues Kopftuch. Und ich trage Inline-Skates! Dieses Sweatshirt gefällt mir gut, aber diese Hose ist viel zu groß!

einen Einkaufsbummel – a shopping trip
eine Weste – a waistcoat
eine Latzhose – dungarees
silbernen – silver
ein Kopftuch – headscarf

1 Wie finden die Schüler/Schülerinnen die neue Kleidung für die Lehrer/die Lehrerinnen? Lies die Antworten.

Die Latzhose ist sehr schön. Die Mütze gefällt mir sehr gut. Aber die Turnschuhe finde ich nicht gut. (Nadja, 14)

Die Hose ist super, finde ich! Und die Inline-Skates sind sehr modern! (Ines, 14)

Der Minirock gefällt mir nicht. Und der Pullover ist zu groß. Aber der Rucksack gefällt mir! (Markus, 15)

2 JUMA macht einen Wettbewerb: *Neue Kleidung für deine Lehrer/deine Lehrerinnen!* Mach ein Poster: Zeichne Kleidung oder finde Fotos.

3 Was tragen sie? Schreib Sprechblasen für die Lehrer/Lehrerinnen.

4 JUMA fragt: „Wie gefällt dir die neue Kleidung für die Lehrer/Lehrerinnen?" Schreib zwei oder drei Sätze für jeden Lehrer/jede Lehrerin – so wie in Übung 1.

5 Finde und mach eine Kassette mit den Informationen für JUMA.

Frau Saunders trägt Jeans und ein rotes T-Shirt. Sie trägt auch silberne Turnschuhe. Diese Jeans gefällt mir sehr gut und das T-Shirt ist sehr schön. Und die Turnschuhe sind sehr modern!

6 Die Klasse liest die Poster und hört die Kassetten an. Welches Projekt ist die Nummer eins?

Kannst du ... ?

✓ fragen und sagen:	*Was hast du gekauft? Ich habe T-Shirts gekauft. Ich habe zwei Hemden gekauft.*
✓ fragen:	*Wie gefällt dir dieser Rock? Welche Jacke gefällt dir?*
✓ sagen:	*Er gefällt mir nicht so gut. Sie ist zu klein.*
✓ fragen und sagen:	*Was trägst du zur Schule? Ich trage eine Jacke. Ich trage einen Pullover.*
✓ Farben beschreiben:	*Ich trage einen grauen Rock. Ich trage ein weißes Hemd.*
✓ fragen und sagen:	*Was trägst du gern? Ich trage gern Röcke. Ich trage nicht gern Hosen.*
✓ fragen und sagen:	*Was trägst du am liebsten? Ich trage am liebsten T-Shirts.*
✓ fragen und sagen:	*Wie findest du deine Uniform? Meine Uniform gefällt mir gut. Meine Uniform ist schlecht, weil sie altmodisch ist.*

Und Grammatik im Fokus ... ?

✓ Plural	*zwei T-Shirts; drei Blusen; vier Schuhe; fünf Röcke; sechs Pullover*
✓ *dieser ...*	*dieser Pullover; diese Bluse; dieses Hemd; diese Blusen*
✓ *welcher ... ?*	*welcher Pullover? welche Bluse? welches Hemd? welche Hemden?*
✓ *Ich trage einen/eine/ein + Adjektiv*	*Ich trage einen blauen Rock. Ich trage eine schwarze Hose. Ich trage ein weißes Hemd.*

Die Klasse!-Clique

Folge 5

Atalay: He – ich habe am Sonntag Geburtstag und ich mache eine Party!

Annika: Super! Wann? Und wo?

Atalay: Um 19 Uhr – zu Hause im Partykeller.

Jasmin: Klasse! Ich komme gern!

Annika: Ja, ich auch!

Atalay: Und du, Sven? Kommst du auch?

Sven: Am Sonntag? Nein ... nein, ich kann leider nicht kommen. Ich – ich muss Hausaufgaben machen.

> Hausaufgaben machen? Am Sonntag?

Jasmin: Hallo, Atalay! Herzlichen Glückwunsch zum Geburtstag!

Atalay: Hallo, Jasmin! Hallo, Annika!

Jasmin: Und was hast du zum Geburtstag bekommen?

Atalay: Ein Skateboard! Ich habe ein Skateboard bekommen!

Jasmin: Atalay, die Party war super! Aber ich habe zu viel gegessen – und ich habe zu viel getanzt!

Atalay: Oh nein – ich muss den Partykeller aufräumen! Schau mal – Cola auf den CDs, der CD-Spieler ist unter dem Sofa ... Was sagen Mutti und Vati?!

Annika: Ich mache mit! Also, wo sind die Würstchen?

Atalay: Und der Apfelsaft? Wo ist er?

> Aber wo ist Sven?

Fortsetzung folgt ...

1 Was meinst du? Vor dem Lesen: Rate!

1 Atalay macht ...

   a ein Picknick.

   b eine Party.

2 Jasmin und Annika gehen am Sonntag ...

   a zum Konzert.

   b zu Atalays Party.

3 Atalay hat ...

   a ein neues Skateboard.

   b neue Inline-Skates.

4 Im Partykeller ist ...

   a alles durcheinander.

   b nichts durcheinander.

5 Sven ...

   a hilft auch mit.

   b ist nicht da.

2 🔊 Hör gut zu und lies mit. Wie heißt das auf Deutsch?

1 I can't come.

2 Happy birthday!

3 What did you get for your birthday?

4 I have to tidy the party room.

5 The CD player is under the sofa.

6 Where are the sausages?

3 Beantworte die Fragen.

1 Was hat Atalay am Sonntag?

2 Wann ist die Party – und wo?

3 Wer kann nicht kommen?

4 Was hat Atalay bekommen?

5 Was hat Jasmin gemacht?

6 Wo ist die Cola?

🔊 *Party-Rap*

Mein Geburtstag ist heute
Am 8. April!
Und ich mache eine Party
Hurra!
Kommst du?
Ja, ja, gern!

Wo ist die Party?
Im Partykeller!
Wie ist die Adresse?
Goldstraße 13!
Wann ist die Party?
Um 18 Uhr!

Herzlichen Glückwunsch!
Danke – vielen Dank!
Was hast du bekommen?
Einen Fußball
Einen Gutschein
Ein Rad und ein Buch

Wie war die Party?
Super – super und toll!
Was hast du gemacht?
Mit Tina getanzt
Pizza gegessen
und Cola getrunken

Wir feiern!

You will learn how to ...

✓ say when your birthday is: *Mein Geburtstag ist am 3. April. Ich habe am 17. Juli Geburtstag.*

✓ ask and say when special events/celebrations are: *Wann ist Heiligabend? Silvester ist am 31. Dezember.*

1 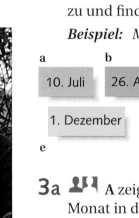 Hör gut zu und lies mit.

Wann hast du Geburtstag, Jasmin?

Ich habe am 13. November Geburtstag. Und du, Atalay?

Mein Geburtstag ist am 28. April.

Hilfe

Wann hast du Geburtstag?

Ich habe am ... Geburtstag.
Mein Geburtstag ist am dreizehnten Juli.

1. **ersten**	Januar
2. zwei**ten**	Februar
3. **dritten**	März
4. vier**ten**	April
5. fünf**ten**	Mai
6. sechs**ten**	Juni
7. **siebten**	Juli
8. ach**ten**	August
9. neun**ten**	September
10. zehn**ten**	Oktober
↓	November
20. zwanzig**sten**	Dezember
21. einundzwanzig**sten**	
22. zweiundzwanzig**sten**	
23. dreiundzwanzig**sten**	

C D

2 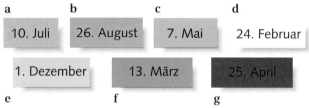 Wann haben sie Geburtstag? Hör gut zu und finde die passenden Daten.

Beispiel: Miriam: c

a   b   c   d

10. Juli	26. August	7. Mai	24. Februar

1. Dezember	13. März	25. April

e   f   g

3a **A** zeigt auf eine Zahl und einen Monat in der Hilfe-Box, **B** antwortet.

Beispiel:

A Wann hast du Geburtstag? (10. April)
B Ich habe am 10. April Geburtstag.

3b Du bist dran! Wann hast du Geburtstag? Macht Dialoge.

E F G

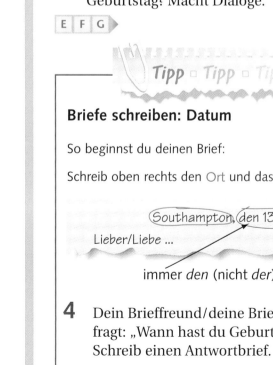

Tipp ◦ Tipp ◦ Tipp

Briefe schreiben: Datum

So beginnst du deinen Brief:

Schreib oben rechts den Ort und das Datum:

Southampton, den 13. November

Lieber/Liebe ...

immer *den* (nicht *der*)

4 Dein Brieffreund/deine Brieffreundin fragt: „Wann hast du Geburtstag?" Schreib einen Antwortbrief.

5a 🔊 Hör gut zu und lies mit.

Fasching/Karneval
(Rosenmontag)
– Februar

Ostern – März/April

1. April

Mein Geburtstag
– 11. Juni

Diwali – Oktober/November

Id-ul-Fitr
(Ende Ramadan)
– Dezember

Nikolaustag –
6. Dezember

Silvester –
31. Dezember

Heiligabend –
24. Dezember

5b 👥 Wann ist ... ? A fragt, B antwortet. Dann ist B dran.

Beispiel: *A Wann ist Heiligabend?*
            B Heiligabend ist am ...

H I ▶

Noch mal! Zeichne einen Kalender und schreib die wichtigen Feiertage auf.

Beispiel:

Dezember
2. mein Geburtstag   24. Heiligabend
6. Nikolaustag   31. Silvester

Extra! Schreib eine Liste von *deinen* wichtigen Feiertagen.

Beispiel: *Meine Mutter hat am 13. August*
            Geburtstag.
            Diwali ist am 7. November.

Hilfe

Wann ist ... ?
... ist am 25./24./31. Dezember.
... ist im März/April.

Gut gesagt!   Feiertagsgrüße

6a 🔊 Hör gut zu und wiederhole.

Frohes Neues Jahr!   April, April!

Herzlichen Glückwunsch zum Geburtstag!

Frohe Weihnachten!

            Frohe Ostern!

6b Ratespiel: Schau die Bilder in Übung 5a an. Was sagst du wann? Schreib die Wörter auf.

Beispiel:
Heiligabend: Frohe Weihnachten!

6c 👥 Ist alles richtig? Macht Dialoge.

Beispiel:
A Es ist Heiligabend!
B Frohe Weihnachten!

Ich mache eine Party!

You will learn how to ...

✓ invite others to a party: *Ich mache eine Party. Kommst du?*

✓ accept invitations: *Vielen Dank für die Einladung. Ich komme gern.*

✓ make excuses: *Ich kann leider nicht kommen. Ich muss Hausaufgaben machen.*

1a 🔈 Hör gut zu und lies mit.

Atalay:	Ich habe am Sonntag Geburtstag und ich mache eine Party. Kommst du?
Britta:	Vielen Dank für die Einladung! Ich komme gern. Und wann ist die Party?
Atalay:	Am Sonntagabend um 19 Uhr.
Britta:	Okay – und wo?
Atalay:	Zu Hause. Die Adresse ist ...
Britta:	Kaiserstraße 74! Und wo ist die Party? Im Wohnzimmer?
Atalay:	Nein, im Partykeller.

1b 👥 **A** ist Atalay, **B** ist Britta. Spielt die Rollen.

Tipp ▫ Tipp ▫ Tipp

Sprechen: Rollenspiele

▫ Sprich laut und deutlich.

▫ Sprich nicht langweilig – sprich lebhaft und interessiert.

▫ Sei nicht langweilig – spiel die Dialoge.

▫ Du verstehst die Frage nicht? Sag:
  > Wie bitte?
  > Wiederhole bitte!
  > Noch einmal bitte.

▫ Du brauchst Zeit für deine Antwort? Sag:
  > Also .../Naja ...
  > Ich weiß./Ich weiß nicht.

2a 🔈 Hör gut zu und finde die passenden Einladungen.

a
Faschings-Fete!
Wann: Montag, 18. Februar, 18 Uhr
Wo: Goldstraße 23
(Partykeller)

b
Ich habe am 19. Juli (Samstag)
Geburtstag und mache um
20 Uhr eine Party.
Adresse: Wilhelmweg 2
(Garten)

c
Wir machen am Sonntag ein Picknick!
Wo: Im Duden-Park
(am Stadtrand, Buslinie 5)
Wann: am Nachmittag (15 Uhr)

d
Einladung zum Schulfest
Am Freitag (11. Mai), um 11 Uhr
In der Schiller-Schule
(Heimstraße 36)

2b 👥 **A** wählt eine Einladung, **B** antwortet. Dann ist **B** dran.

Beispiel:

A Ich mache am Samstag eine Party. Kommst du?

B Ja, ich komme gern. Wo ist die Party? ...

2c 👥 Zeichnet weitere Einladungen (z. B. mit dem Computer) und macht Dialoge.

J K L ▶

Grammatik im Fokus *in + Dativ*

		Die Party ist ...
m. der Garten	➡	**im** Garten. (in + dem)
f. die Schule	➡	**in der** Schule.
n. das Schwimmbad	➡	**im** Schwimmbad. (in + dem)

3 Wo ist die Party? Füll die Lücken mit *im* oder *in der* aus.

1 _____ Partykeller
2 _____ Wohnzimmer
3 _____ Schule
4 _____ Park
5 _____ Schwimmbad
6 _____ Disco

M ▶

143 ▶

4a 🔘 Tom macht eine Party – aber keine Freunde kommen! Hör gut zu und lies mit.

4b 👥 Nehmt den Cartoon auf Kassette auf.

N ▶

Noch mal! Schreib andere Ausreden für den Bildern.

Beispiel: **a** *Ich muss Fußball spielen.*

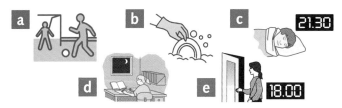

Extra! Erfinde andere Ausreden und schreib einen Antwortbrief an Tom!

Beispiel: *Vielen Dank für die Einladung. Ich kann leider nicht kommen. Ich muss den Hund füttern und ich muss einkaufen. Ich muss auch ...*

Wiederholung muss + Infinitiv

Ich **helfe** zu Hause. ➡ Ich **muss** zu Hause **helfen**.

Ich **arbeite** im Garten. ➡ Ich **muss** im Garten **arbeiten**.

148 ▶

Ich habe am Samstag Geburtstag.
Ich mache eine Party.
Ich mache am Sonntag eine Faschingsfete.
Wir machen am Wochenende ein Picknick.
Meine Schule macht am Freitag ein Schulfest.

Wann?
Um ... Uhr.
Wo?
Zu Hause.
Im Garten/Park/Partykeller.
In der Schule.
Im Schwimmbad.

Kommst du?
Ja, gern.
Vielen Dank für die Einladung. Ich komme gern.
Ich kann leider nicht kommen.

Ich muss	im Garten arbeiten.
	Hausaufgaben machen.
	mein Zimmer aufräumen.
	zu Hause helfen.
	Zeitungen austragen.

Ich muss aufräumen!

You will learn how to ...

✓ ask where things are: *Wo ist der CD-Spieler? Wo sind die Luftballons?*

✓ describe where things are: *Die CD ist auf dem Schreibtisch. Die Würstchen sind unter dem Stuhl.*

1a 🔊 Atalay muss sein Zimmer aufräumen. Wo ist ... ?
Hör gut zu und finde die richtige Reihenfolge für die Bilder.

a die Luftballons	**e** die CDs
b der Kartoffelsalat	**f** der Kassettenrecorder
c die Limonade	**g** der Apfelsaft
d die Würstchen	**h** der CD-Spieler

1b 👥 Wo ist alles? **A** fragt, **B** zeigt auf das passende Bild. Dann ist **B** dran.

Beispiel:
A Wo ist der Kassettenrecorder?
B (zeigt auf das passende Bild)

Hilfe

Wo ist	der CD-Spieler?
	der Apfelsaft/Kartoffelsalat?
	der Kassettenrecorder?
	die CD/Limonade?
Wo sind	die CDs/Luftballons/Würstchen?

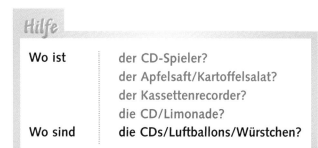

Tipp □ Tipp □ Tipp

Neue Wörter

Du brauchst nicht immer im Wörterbuch nachzuschauen! Hier sind einige Tipps:

□ Einige Wörter sehen ,englisch' aus: z. B. Party, CD, Kassettenrecorder.

□ Einige Wörter sehen bekannt (*familiar*) aus: z. B. Spieler – spielen, Würstchen – Wurst.

□ Einige lange Wörter enthalten bekannte (*familiar*) Wörter: z. B. Namenstag – Name + Tag, Johannisbeersaft – Saft.

2 Lies noch einmal die Wörter in Übung 1a. Welche Wörter ...

□ sehen ,englisch' aus? Schreib sie auf.

□ sehen bekannt aus? Schreib sie auf.

□ enthalten bekannte Wörter? Schreib sie auf.

3 Wo ist alles? Hör gut zu und lies mit.

Der Kassettenrecorder ist unter dem Schreibtisch.

Die CD ist im Schreibtisch.

Die Würstchen sind auf dem Schreibtisch.

Die Limonade ist neben dem Schreibtisch.

P

Grammatik im Fokus *auf, in, neben, unter*

To say where something or someone is, you use prepositions (words like 'in' (*in*), 'on' (*auf*), 'under' (*unter*), 'next to' (*neben*)). These prepositions are followed by the dative case. This means that the endings of *der/die/das/die* must change:

m.	**der** Schreibtisch	Der Kassettenrecorder ist **im** Schreibtisch. (**in + dem**)
f.	**die** Lampe	Die CD ist **neben der** Lampe.
n.	das Regal	Das Buch ist **auf dem** Regal.
pl.	**die** CDs	Die Zeitungen sind **unter den** CDs.

4a Wo ist alles? Schau das Bild in Übung 1a an und finde die passenden Wörter.

1 Der Kassettenrecorder ist [auf/neben] dem Stuhl.
2 Der CD-Spieler ist [unter dem/im] Schreibtisch.
3 Die CDs sind [unter/auf] dem Sofa.
4 Die Limonade ist [unter/neben] der Lampe.

4b Ist alles richtig? A fragt, B antwortet. Dann ist B dran.

Beispiel:
A Wo ist der Kassettenrecorder?
B Der Kassettenrecorder ist auf dem Stuhl.
A Richtig!

Q

5 *dem, der* oder *den*? Füll die Lücken aus.

1 Die CD ist unter _____ Stuhl.
2 Das Buch ist neben _____ Sofa.
3 Die Cola ist auf _____ Tisch.
4 Die Zeitung ist unter _____ Büchern.
5 Die Zeitschrift ist neben _____ Lampe.
6 Das Stofftier ist auf _____ CDs.

R S

Noch mal! Gedächtnisspiel: Schaut das Bild in Übung 1a an. Macht die Bücher zu. Wo ist alles?

Beispiel:
A Der Kassettenrecorder ist auf dem Stuhl.
B Die CDs sind ...

Extra! Schau dein Klassenzimmer an. Was ist wo? Schreib fünf Sätze.

Beispiel: Das Buch ist auf dem Tisch.

 142

Wie war die Party?

You will learn how to ...

✓ ask others which birthday presents they received: *Was hast du zum Geburtstag bekommen?*

✓ say what birthday presents you received: *Ich habe ein Computerspiel bekommen.*

✓ ask and give your opinion about parties or events: *Wie war die Party? Sie war toll.*

1 🔊 Was hat Atalay zum Geburtstag bekommen? Hör gut zu und lies mit.

Annika:	Und was hast du zum Geburtstag bekommen?
Atalay:	Ich habe ein Handy bekommen – und ein Skateboard!
Jasmin:	Hast du auch Geld bekommen?
Atalay:	Nein, aber ich habe einen Gutschein bekommen – für 25 Euro!

2a 🔊 Was haben Hanna und Bastian zum Geburtstag bekommen? Hör gut zu und finde die passenden Bilder.

Beispiel: Hanna: f, ...

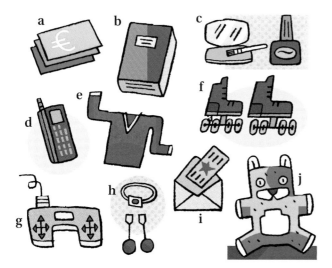

2b 👥 Was hast du zum Geburtstag bekommen? Macht Dialoge mit den Bildern (Übung 2a).

Beispiel:
A Was hast du zum Geburtstag bekommen?
B Ich habe Inline-Skates bekommen. Ich habe auch ...

2c 👥 Gedächtnisspiel.

Beispiel:
A Ich habe Geld bekommen.
B Ich habe Geld und ein Buch bekommen.

2d Dein Brieffreund/deine Brieffreundin fragt: „Was hast du zum Geburtstag bekommen?" Schreib einen Antwortbrief mit sechs Bildern von Übung 2a.

Beispiel: Ich habe ein Buch bekommen. Ich habe auch ...

T U ▸

Hilfe

Was hast du zum Geburtstag bekommen?

Ich habe ... bekommen.
einen Fußball/Gutschein/Pullover
ein Buch/Computerspiel/Skateboard/Stofftier
Make-up/Geld/Schmuck
Inline-Skates

3 🔊 Geburtstagsparty – was hat Atalay gemacht? Hör gut zu und lies mit.

Ich habe Susi getroffen.   *Ich habe Gitarre gespielt.*   *Ich habe Ina und Dominik gesehen.*

4 🔊 Schulfest – was hat Britta gemacht? Hör gut zu und finde die richtige Reihenfolge für die Bilder.

v ▶

Wiederholung das Imperfekt

Wie **ist** die Party? ➡ Wie **war** die Party?

Das Schulfest **ist** toll! ➡ Das Schulfest **war** toll!

150 ▶

Hilfe

Was hast du gemacht?	
Ich habe	Würstchen gegessen.
Wir haben	Apfelsaft getrunken.
	... gesehen/getroffen.
	(mit ...) getanzt.
	Gitarre gespielt.

5 👥 Wie war die Party? Was hast du gemacht? **A** fragt, **B** wählt eine Einladung und antwortet.

Beispiel:
A *Wie war die Party?*
B *Sie war super!*
A *Was hast du gemacht?*
B *Ich habe .... getroffen. Ich habe auch ... gesehen. Und ich habe mit ... getanzt!*
A *Was hast du gegessen?*
A *Ich habe ... gegessen. Und ich habe ... getrunken.*

Faschingsfete
Gäste: Alexander, Christina, Daniel
Trinken: Cola, Orangensaft
Essen: Pizza, Kartoffelsalat

Geburtstagsparty!
Gäste: Gaby, Oliver, Tanja
Trinken: Mineralwasser, Apfelsaft
Essen: Würstchen, Chips

Noch mal! Dein Freund/deine Freundin fragt: „Wie war die Party? Was hast du gemacht?" Schreib eine E-Mail für eine Party von Übung 5.

Beispiel: *Die Faschingsfete war super! Ich habe Alexander und Christina getroffen und ich habe mit Daniel getanzt. Ich habe ...*

Extra! Beschreib eine Party (deine Geburtstagsparty, ein Schulfest usw.): Was hast du gemacht? Was hast du gegessen/getrunken?

1 Lies die Texte.

Ich finde Channuka super.
Channuka – das ist ein jüdisches
Fest. Es dauert 8 Tage. Wir
zünden zu Hause Kerzen an
und wir bekommen Geschenke.
Und wir spielen Spiele.
Aaron (15)

Mein Lieblingstag ist der
Valentinstag. Der Valentinstag
ist am 14. Februar. Man schickt
dann Karten an Freunde und
Freundinnen – aber ohne
Absender! Das ist immer sehr
spannend! Dieses Jahr habe ich
2 Karten geschickt – und ich
habe 3 Karten bekommen!
Saskia (14)

Ich finde meinen Namenstag toll –
das ist mein Lieblingstag! Ich
mache jedes Jahr eine Party.
Mein Namenstag ist am 5. Mai.
Namenstag – was heißt das? Im
Kalender sind die Namen von
allen Heiligen für das Jahr. Mein
Name ist Judith – das ist auch der
Name für die ‚Heilige Judith' und
ihr Tag ist am 5. Mai.
Judith (15)

Ich liebe dich!

Mein Lieblingsfest? Das ist das Chinesische Neujahr.
Das Fest dauert einen Monat und es ist im Januar oder
Februar. Wir tragen Kostüme und gehen in die Stadt. Dort
gibt es Straßentheater und es gibt auch einen großen Umzug.
Alle machen mit: meine Eltern, meine kleine Schwester,
meine Großeltern ... Das macht Spaß!
Kim (14)

Juni

1. Konrad
2. Armin
3. Clothilde
4. Christa
5. Bonifatius
6. Norbert
7. Raimund

Juli

1. Theodora
2. Wilfried
3. Thomas
4. Ulrich
5. Wilhelm
6. Johannes
7. Willibald

jüdisch – Jewish
dauern – to last for
Kerzen – candles
der Absender – name of sender
die Heiligen – Saints
das Straßentheater – street theatre
der Umzug – procession

2 Organisiert ein Schulfest!

a Macht eine Umfrage in der Klasse. Fragt:

- ☐ Welches Fest machen wir? (z. B. ein Faschingsfest, eine Disco, eine Party für die ‚Klasse Nummer eins' in der Schule usw.)

- ☐ Wann machen wir das Fest? (z. B. im Februar, vor den Sommerferien, am Freitagabend usw.)

- ☐ Wo machen wir das Fest? (z. B. in der Schule, im Park, in der Rollerdisco usw.)

b Schreibt Einladungen und zeichnet ein Einladungsposter. Schreibt:

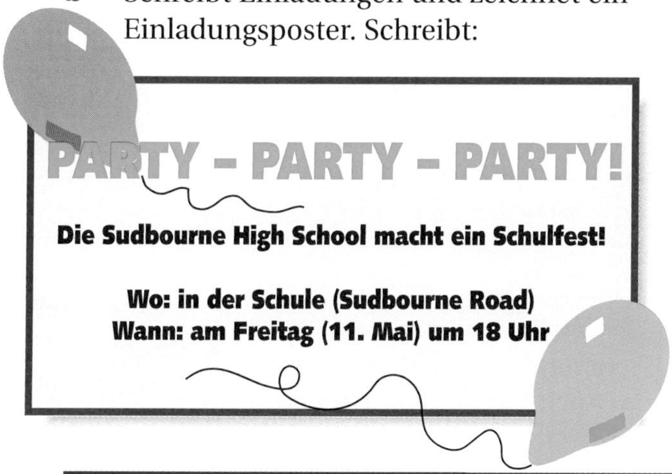

PARTY – PARTY – PARTY!

Die Sudbourne High School macht ein Schulfest!

Wo: in der Schule (Sudbourne Road)
Wann: am Freitag (11. Mai) um 18 Uhr

c Essen und Trinken – was gibt es? Zeichnet und schreibt eine Speisekarte mit Preisen.

Kartoffelsalat	£0.75
Pizza	£1.50
Würstchen	£1.25
Hamburger	£1.50
Pommes frites	£0.90
Eis	£1.00
Chips	£0.50
Cola	£0.50
Limonade	£0.50
Apfelsaft	£0.75
Orangensaft	£0.75
Mineralwasser	£0.60
Tee	£0.90

d Erfindet Ausreden für die Lehrer! Schreibt und zeichnet alles. Macht dann einen Wettbewerb: Was ist die Ausrede Nummer eins?

Kannst du … ?

✓ sagen:	*Mein Geburtstag ist am 3. April. Ich habe am 17. Juli Geburtstag.*
✓ fragen und sagen:	*Wann ist Heiligabend? Silvester ist am 31. Dezember.*
✓ sagen und fragen:	*Ich mache eine Party. Kommst du?*
✓ sagen:	*Vielen Dank für die Einladung. Ich komme gern.*
✓ sagen:	*Ich kann leider nicht kommen. Ich muss Hausaufgaben machen.*
✓ fragen:	*Wo ist der CD-Spieler? Wo sind die Luftballons?*
✓ sagen:	*Die CD ist auf dem Schreibtisch. Die Würstchen sind unter dem Stuhl.*
✓ fragen:	*Was hast du zum Geburtstag bekommen?*
✓ sagen:	*Ich habe ein Computerspiel bekommen.*
✓ fragen und sagen:	*Wie war die Party? Sie war toll.*

Und Grammatik im Fokus … ?

✓ *in + Dativ*	*Die Party ist im Garten/in der Schule/im Schwimmbad.*
✓ *auf, in, neben, unter*	*Die CD ist im Schreibtisch/neben der Lampe/auf dem Regal/unter den Zeitungen.*

Die Klasse!-Clique

Folge 6

Wir gehen in die Stadt

Jasmin: Annika! Annika! Sascha und ich – wir wollen ins Café gehen!
Annika: Dein E-Mail-Brieffreund? Er will ins Café gehen?
Jasmin: Ja – heute Nachmittag! Wir treffen uns um 15 Uhr vor dem Busbahnhof – neben dem Café!

Atalay! Svens Eltern wollen wieder nach Chemnitz gehen – aber er will in Wesel bleiben! Komm schnell! Wir treffen uns vor der Eisdiele – in 15 Minuten!

Jasmin: Sven! Was ist los? Hast du Probleme?
Sven: Oh, Jasmin! Ich muss wieder nach Chemnitz – meine Eltern wollen weg aus Wesel! Aber ich will hier bleiben!

Oh nein! Es ist Viertel vor vier! Sascha!!

Annika: Wir sind deine Freunde – wir wollen helfen!
Sven: Aber wie?
Atalay: Ich weiß: Deine Oma wohnt doch auch in Wesel?
Sven: Ja, meine Oma hat eine Wohnung hier. Oma ist total super!
Jasmin: Vielleicht kannst du in Wesel bleiben – bei deiner Oma!
Annika: Ja, frag deine Eltern – und deine Oma!
Sven: Ja – ja klar! Danke!

Fortsetzung folgt ...

1a Was meinst du? Vor dem Lesen: Rate!

1 Jasmin ...

  a führt den Hund aus.

  b geht ins Café.

2 Sven hat ...

  a Probleme zu Hause.

  b keine Fahrkarte.

3 Jasmin, Annika und Atalay ...

  a fahren nach Chemnitz.

  b sind in der Stadt.

4 Sie wollen ...

  a Sven helfen.

  b eine Fahrkarte nach Chemnitz kaufen.

5 Jasmin ...

  a ist zu spät für das Café.

  b geht mit Sascha ins Fastfood-Restaurant.

2 🔊 Hör gut zu und lies mit. Was ist das? Finde die passenden Wörter im Text.
Beispiel: 1 ein Café

1 Man trinkt dort Kaffee und isst Kuchen.

2 Dort kauft man Fahrkarten für den Bus.

3 Eine Stadt in Ostdeutschland.

4 Hier wohnen Jasmin, Annika, Sven und Atalay.

5 Dort kann man Eis essen.

3 Wer ist das? Kopiere die Sätze und schreib die passenden Namen auf.

1 ..... wollen ins Café gehen.

2 ..... wollen nach Chemnitz fahren.

3 ..... will in Wesel bleiben.

4 ..... wohnt auch in Wesel.

5 ..... sind vor der Eisdiele.

Was kann man in Köln machen?

1a 🔊 Was kann man in Köln machen? Hör gut zu und finde die passenden Sätze für die Bilder.

Beispiel: 1 – d

Kommen Sie nach Köln!

Man kann ...
a ins Museum gehen.
b ins Jugendzentrum gehen.
c einen Einkaufsbummel machen.
d ins Freizeitzentrum gehen
e ins Fastfood-Restaurant gehen.
f ins Popkonzert gehen.
g ein Picknick machen.
h in die Eisbahn gehen.

A ▶

1b 🔊 Was kann man in Köln machen? Was sagen Anke, Ralf, Heiko und Astrid? Hör gut zu und finde die passenden Bilder von Übung 1a.

Beispiel: Anke: 2, ...

2 Was kann man in ... machen? Schreib Sätze für die folgenden Städte.

Beispiel: Bremen: Man kann ins Museum gehen und ...

Bremen

Stuttgart

Wien

Genf

Noch mal! 👥👤 Ratespiel: Wo kann man das machen?

Beispiel:
A Man kann ins Jugendzentrum gehen.
B Wien?
A Nein! Man kann auch in die Eisbahn gehen.
B Stuttgart!
A Ja, richtig!

Extra! Mach ein Poster für deine Stadt. Was kann man dort machen? Finde Fotos und schreib Sätze.

Beispiel:
Komm nach Ashford!
Man kann einen Einkaufsbummel machen und ins Schwimmbad gehen.

B ▶

3a 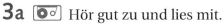 Hör gut zu und lies mit.

Also, was wollt ihr heute machen?

Ich will ins Freizeitzentrum gehen.

Und dann wollen wir ins Fastfood-Restaurant gehen! Willst du auch ins Kino gehen, Jasmin?

3b Was wollt ihr heute machen? Macht Dialoge mit den Bildern in Übung 1a.

Beispiel:
A *Was willst du heute machen?*
B *Ich will ins Jugendzentrum gehen!*

C

Hilfe

Was kann man/können wir machen?
Man kann/wir können ...
Was willst du/wollt ihr machen?
Ich will/wir wollen ...
... einen Einkaufsbummel machen.
... in die Disco/Eisbahn/Eisdiele/Stadt gehen.
... ins Freizeitzentrum/Jugendzentrum gehen.
... ins Kino/Museum/Schwimmbad gehen.
... ins Popkonzert/Theater gehen.
... ins Café/Fastfood-Restaurant gehen.
... ein Picknick machen.

Grammatik im Fokus Können und wollen + Infinitiv

können and *wollen* are like *müssen* and *dürfen* – they are modal verbs. They send the main verb of the sentence to the end, in its infinitive form.

Man **geht** ins Popkonzert.
Man **kann** ins Popkonzert **gehen**.

Wir **machen** einen Einkaufsbummel.
Wir **können** einen Einkaufsbummel **machen**.

Ich **fahre** in die Stadt.
Ich **will** in die Stadt **fahren**.

Wir **machen** ein Picknick.
Wir **wollen** ein Picknick **machen**.

4 Schreib die Sätze richtig auf.
1 gehen / Ich / ins / Kino / will / .
2 machen / willst / du / Was / ?
3 in die / gehen / Wir / Disco / können / .
4 Jugendzentrum / gehen / kann / Man / ins / .
5 heute / wollt / Was / ihr / machen / ?
6 machen / Ausflug / wollen / Wir / einen / .

5a Kopiere Ahmids E-Mail und füll die Lücken aus.

will willst willst können
können können können

Nachricht

Am Samstag gibt es keine Schule – was _____ wir machen?
Also, ich _____ ins Schwimmbad oder vielleicht ins
Freizeitzentrum gehen. Wir _____ auch ins Kino gehen.
Wohin _____ du gehen? Zum Essen _____ wir ins
Fastfood-Restaurant oder ins Café gehen. Nachmittags _____
wir einen Einkaufsbummel machen oder in den Park gehen und
Fußball spielen. Was _____ du machen?
Schreib bald wieder!
Ahmid

5b Beantworte Ahmids E-Mail. Benutze die Informationen unten.

5c Du bist dran! Was kann man in deiner Stadt machen? Was willst du am Wochenende machen? Schreib eine E-Mail an Ahmid.

 148

 D E

Wo treffen wir uns?

> **You will learn how to ...**
>
> ✓ talk about where you are going to meet: *Wo treffen wir uns? Treffen wir uns am Markt? Wir treffen uns an der Bushaltestelle.*

1 🔊 Hör gut zu und finde die passenden Hilfe-Wörter für die Bilder.

Beispiel: 1 – b

Hilfe

Wir treffen uns ...
Treffen wir uns ...

a neben dem Bahnhof
b vor dem Bahnhof
c am Markt
d an der Bushaltestelle
e vor der Eisbahn
f in der Eisdiele
g in der Imbissstube
h neben dem Café

2a 🔊 „Wo treffen wir uns?" Was sagen sie? Hör gut zu und finde die passenden Bilder in Übung 1.

Beispiel: a – 3

2b 👥 Ist alles richtig? **A** fragt, **B** antwortet.

Beispiel:
A *Nummer 1: Wo treffen wir uns?*
B *Wir treffen uns neben dem Café.*

F ▶

Grammatik im Fokus *an* und *vor* + Dativ

an (at) and *vor* (in front of) are two new prepositions. They take the dative like *auf, in, neben* and *unter* (see page 65).

m.	Der Mann ist **am** Markt. (an + dem) Ich stehe **vor dem** Dom.
f.	Wir treffen uns **an der** Bushaltestelle. Peter steht **vor der** Imbissstube.
n.	Ich bin **am** Kino. (an + dem) Wir treffen uns **vor dem** Museum.

3 Füll die Lücken aus.

1 Wir treffen uns vor _____ Museum.
2 Wo treffen wir uns? Vor _____ Eisbahn?
3 Treffen wir uns an _____ Bushaltestelle?
4 Treffen wir uns an _____ Post oder _____ Dom?
5 Wir treffen uns vor _____ Jugendzentrum.

G ▶

142

4 🔊 Hör gut zu und lies mit.

> Ich gehe morgens in den Supermarkt. Treffen wir uns im Bahnhof?

> Ich gehe heute in die Stadt. Wir treffen uns in der Eisdiele.

> Ich gehe am Freitag ins Kino. Treffen wir uns um sieben Uhr im Café?

Grammatik im Fokus   *in + Akkusativ oder Dativ?*

in can be followed by either the accusative or the dative case.
Followed by the accusative (*Akkusativ*), *in* tells you where someone or something **is going to.**
Followed by the dative (*Dativ*), *in* tells you where someone or something **is.**

		Maskulinum	Femininum	Neutrum
Akkusativ	Ich gehe ...	**in den** Supermarkt	**in die** Stadt	**ins** Kino (in + das)
Dativ	Wir treffen uns ...	**im** Supermarkt (in + dem)	**in der** Stadt	**im** Kino (in + dem)

5a Schau die Sätze in Übung 4 an und finde die Sätze mit *in* + Akkusativ und *in* + Dativ. Schreib zwei Listen.

Beispiel:
in + Akkusativ: Ich gehe morgens in den Supermarkt.

5b *in* + Akkusativ oder *in* + Dativ? Finde die passenden Wörter.

> Heute gehe ich in [die/der] Stadt und dort esse ich [ins/im] Fastfood-Restaurant. Ich kann auch [ins/im] Café essen, aber das finde ich nicht so gut. Nachmittags gehe ich [in den/im] Park und auch [ins/im] Freizeitzentrum. Man kann Fußball [in den/im] Park und Tennis [ins/im] Freizeitzentrum spielen. Abends wollen meine Freundin und ich [ins/im] Kino gehen. Dann um elf Uhr gehe ich [ins/im] Bett.

6 👥 Du bist dran! Was willst du am Samstag machen? **A** fragt und **B** antwortet. Dann ist **B** dran.

Beispiel:
A *Wohin gehen wir am Samstag?*
B *Gehen wir ins Kino?*
A *Ja, okay. Wo treffen wir uns?*
B *Treffen wir uns im Café.*

Gut gesagt!   ei, ie

7a 🔊 Hör gut zu und lies mit.

7b 🔊 Hör gut zu und wiederhole.

> In einer Eisdiele esse ich ein Eis, zwei Eis, drei Eis, schließlich vier Eis. Wie viele? Eins, zwei, drei, vier! Zu viel Eis ... Hilfe!

143 ➡

Was brauchst du?

You will learn how to ...

✓ say what you do not have: *Ich habe kein Shampoo und keine Zahnpasta.*

✓ say what you need: *Ich brauche eine Federmappe. Ich brauche Umschläge.*

✓ say which shops you need to go to: *Ich muss zur Drogerie gehen. Du musst zum Schreibwarenladen gehen.*

1 🔊 Hör gut zu und lies mit.

Jasmin: Annika! Ich habe kein Shampoo! Ich muss in die Stadt gehen!

Annika: Ja, ich auch! Ich brauche eine Federmappe und einen Füller.

Jasmin: Also, du musst zum Schreibwarenladen gehen – und ich? Ich muss zur Drogerie gehen.

2a Was kauft man wo? Verbinde die Bilder.

2b 🔊 Ist alles richtig? Hör gut zu.

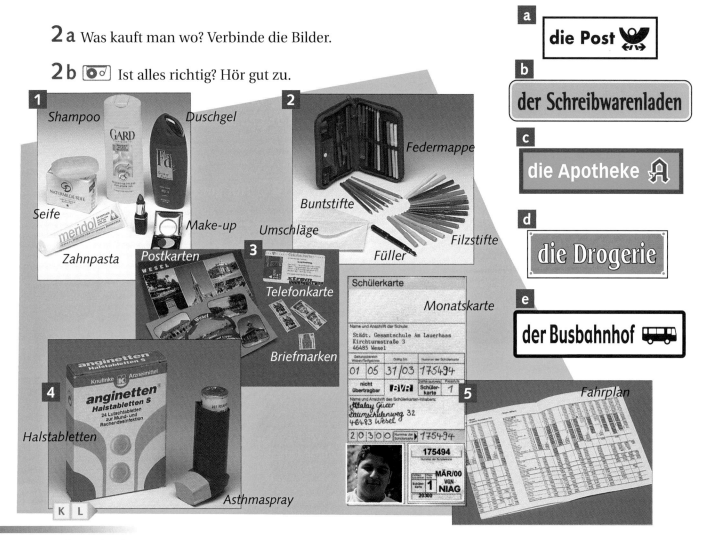

a die Post

b der Schreibwarenladen

c die Apotheke

d die Drogerie

e der Busbahnhof

(Bilder:)

1 — Shampoo, Duschgel, Seife, Make-up, Zahnpasta

2 — Federmappe, Buntstifte, Umschläge, Filzstifte, Füller

3 — Postkarten, Telefonkarte, Briefmarken

Schülerkarte / Monatskarte

4 — Halstabletten, Asthmaspray

5 — Fahrplan

3a Was sagen Paul, Guptal, Britta, Eli and Jenna? Kopiere die Tabelle. Hör gut zu und mach Notizen.

	Ich brauche ...	Ich habe kein/keine ...	Ich muss zum/zur ... gehen.
Paul	Duschgel	Shampoo	
Guptal			

3b Schaut die Tabelle an und macht Dialoge.

Beispiel:
A Hallo Paul! Wohin musst du gehen?
B Ich habe keinen ... – ich muss zum ... gehen. Und ich brauche ... – ich muss zum ... gehen.

M N

Tipp □ Tipp □ Tipp

Bekannte Sprache ändern

Du kannst einige Wörter/Sätze in vielen Situationen (*contexts*) benutzen.

4 „Ich habe kein(e) ... " Was hast du nicht? Schreib drei Listen.

Beispiel:
1 Für die Schule:
   Ich habe keinen Rechner, keine Tasche, kein Heft ...

1 Was hast du nicht für die Schule?
2 Welche Geschwister oder Familienmitglieder hast du nicht?
3 Welche Haustiere hast du nicht?

5 Was musst du zu Hause machen? Schreib Sätze.

Beispiel:
Ich muss abwaschen.

6 Du kochst für eine Party. Was kochst du und was brauchst du? Schreib eine Einkaufsliste.

Beispiel:

Vergiss nicht!

Spaghetti Bolognese:

Ich brauche Fleisch, Käse, Tomaten, ...

7 Wie kommst du am besten zum/ zur ... ? **A** wählt ein Bild, **B** fragt. Dann ist **B** dran.

Beispiel:
A Bild a.
B Wie komme ich am besten zum Bahnhof, bitte?

a  b c   d

e   f   g   h

Im Fundbüro

You will learn how to ...

✓ ask if you can help someone: *Kann ich dir helfen? Kann ich Ihnen helfen?*
✓ say what you have lost: *Ich habe meinen Schirm verloren. Ich habe meine Geldbörse verloren.*
✓ ask and say what it is like: *Wie sieht er aus? Er ist blau und gelb und aus Stoff.*
✓ say you're sorry: *Das tut mir Leid.*

1 🔊 Thomas ist im Fundbüro. Hör gut zu und lies mit.

Beamter:	Guten Morgen. Kann ich dir helfen?
Thomas:	Ja, bitte. Ich habe meine Brieftasche verloren.
Beamter:	Oh, das tut mir Leid. Wie sieht sie aus?
Thomas:	Sie ist schwarz und aus Leder.

2a 🔊 Was haben sie verloren? Hör gut zu und finde die passenden Bilder.

a	b	c	d
die Tasche	die Geldbörse/ die Brieftasche	die Uhr	der Schirm

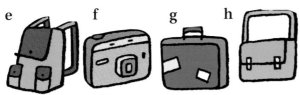

e	f	g	h
der Rucksack	der Fotoapparat	der Koffer	die Schultasche

i	j	k
der Füller	das Buch	das T-Shirt

2b 👥 Was hast du verloren? **A** ist Beamter/ Beamtin, **B** wählt ein Bild von Übung 2a.

Beispiel:
A Guten Morgen. Kann ich dir helfen?
B Ja, bitte. Ich habe meine Tasche verloren.

Grammatik im Fokus *mein + Akkusativ*

m.	Ich habe mein**en** Rucksack verloren.
f.	Ich habe mein**e** Geldbörse verloren.
n.	Ich habe mein Buch verloren.

3 Was hast du verloren? Füll die Lücken aus.

Beispiel:
1 Ich habe meinen Koffer verloren.

1 Ich habe _____ Koffer verloren.
2 Ich habe _____ T-Shirt verloren.
3 Ich habe _____ Schirm verloren.
4 Ich habe _____ Tasche verloren.
5 Ich habe _____ Buch verloren.
6 Ich habe _____ Uhr verloren.

O ▷   P Q ▷

145

4 🔊 Hör gut zu und finde die passenden Fotos.

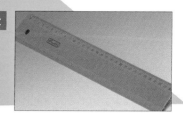

Es ist silber und aus Plastik.

Er ist blau und aus Stoff. *Sie ist grün und aus Leder.*

R ▶

5 👥 Herr Hilflos hat alles verloren! Macht Dialoge. **A** ist der Beamte/die Beamtin im Fundbüro und **B** ist Herr Hilflos.

Beispiel:
A *Guten Tag. Kann ich Ihnen helfen?*
B *Ja, ich habe meinen Schirm verloren.*
A *Das tut mir Leid. Wie sieht er aus?*
B *Er ist rot und weiß und er ist aus Plastik.*
A *Ähm ... ja, hier bitte!*

S ▶

Wiederholung   Pronomen

m. Ich habe **meinen Koffer** verloren.
    Er ist schwarz und aus Leder.

f. Ich habe **meine Geldbörse** verloren.
    Sie ist grün und aus Stoff.

n. Ich habe **mein T-Shirt** verloren.
    Es ist rot und blau.

146 ▶

Noch mal! Wie ist alles in deiner Schultasche? Schreib Sätze.

Beispiel: *Meine Federmappe: Sie ist blau und aus Stoff.*

Extra! Du hast in den Ferien deinen Koffer verloren. Schreib einen Brief an das Fundbüro.

☐ Was hast du verloren?
☐ Wie sieht er/sie/es aus?

T ▶

Hilfe

Kann ich dir/Ihnen helfen?
Ich habe mein/meine/mein ... verloren.
Das tut mir Leid.
Wie sieht er/sie/es aus?
Er/sie/es ist │ schwarz/silber/gold.
              │ aus Leder/aus Plastik/aus Stoff.

1 Lies die Salzburg-Broschüre.

Cafés

Man kann nicht nach Salzburg fahren und keinen Kaffee trinken und keinen Kuchen mit Sahne essen! Das Café ist am Markt – man kann hier alte und neue Freunde treffen.

Einkaufen

Alle Touristen wollen in Salzburg einkaufen. Man braucht ein Geschenk? Kein Problem! Man kann hier alles kaufen – Souvenirs aus Leder, Stoff, Plastik, Gold oder Silber, T-Shirts in Rot, Blau, Schwarz ... , Schreibwaren, Postkarten usw.

Konzerte für alle

Hören Sie gern Musik? Hier gibt es etwas für alle – klassische Musik, Popmusik ... Man kann vor dem Konzert ins Restaurant oder in die Eisdiele gehen oder ein Picknick machen.

Bus, Auto, Zug, Flugzeug

Man kann mit dem Bus, Auto, Zug oder Flugzeug nach Salzburg fahren. Am Bahnhof oder Busbahnhof kann man Monatskarten oder Fahrkarten für Touristen kaufen. Der Bahnhof ist neben der Post und der Busbahnhof ist in der Stadtmitte. Es gibt auch viele Parkplätze.

Parks

Man kann hier die Zeitung lesen, wandern, Fußball spielen oder Rad fahren. Die Parks sind sehr schön und groß.

Discos

Es gibt hier viele junge Leute, also auch viele Discos! Die Musik ist modern, man kann tanzen, man kann Musik hören.

Freizeitzentren

Hier man kann schwimmen, Tennis spielen, Fußball spielen und im Fastfood-Restaurant essen! Alles unter einem Dach!*

* everything under one roof

2 📷 Organisiert einen Ausflug für die Klasse!

a Wohin will die Klasse fahren? Wählt ein Land und eine Stadt.

b Was kann man dort machen? Lest Bücher und Broschüren oder surft im Internet. Schreibt eine Liste für die Klasse.

Beispiel:
Paris: Man kann ins Museum gehen.

c Macht eine Umfrage in der Klasse. Fragt:
- ☐ Wohin willst du in dieser Stadt gehen?
- ☐ Was willst du machen?
- ☐ Was brauchst du?

d Schreibt einen Plan für den Tag in dieser Stadt (z. B. mit dem Computer).
- ☐ Wohin kann die Klasse gehen?
- ☐ Was kann die Klasse machen?
- ☐ Wo und wann treffen wir uns?
- ☐ Was braucht man?

9.00 Uhr: Freizeitzentrum
Um neun Uhr fahren wir mit dem Bus zum Freizeitzentrum. Dort kann man Fußball spielen, Volleyball spielen, Computerspiele spielen und ins Schwimmbad gehen. Wir treffen uns um halb neun vor dem Fastfood-Restaurant. Man braucht: Turnschuhe, Badeanzug und Geldbörse. Dort kann man auch etwas essen und trinken.

Kannst du … ?

✓ fragen und sagen:	*Was kann man in Köln machen? Man kann ins Fastfood-Restaurant gehen. Wir können einen Einkaufsbummel machen.*
✓ sagen:	*Ich will ins Freizeitzentrum gehen. Wir wollen in die Stadt gehen.*
✓ fragen und sagen:	*Wo treffen wir uns? Treffen wir uns am Markt? Wir treffen uns an der Bushaltestelle.*
✓ sagen:	*Ich habe kein Shampoo und keine Zahnpasta. Ich habe keine Briefmarken.*
✓ sagen:	*Ich brauche eine Federmappe. Ich brauche Umschläge.*
✓ sagen:	*Ich muss zur Drogerie gehen. Du musst zum Schreibwarenladen gehen.*
✓ fragen:	*Kann ich dir helfen? Kann ich Ihnen helfen?*
✓ sagen:	*Ich habe meinen Schirm verloren.*
✓ fragen und sagen:	*Wie sieht er aus? Er ist blau und gelb und aus Stoff.*
✓ sagen:	*Das tut mir Leid.*

Und Grammatik im Fokus … ?

✓ *können* und *wollen* + Infinitiv	*Wir können einen Einkaufsbummel machen. Ich will in die Stadt fahren.*
✓ *an* und *vor* + Dativ	*Ich stehe vor dem Dom. Wir treffen uns an der Post.*
✓ *in* + Akkusativ oder Dativ?	*Sie geht ins Kino. Wir treffen uns in der Stadt.*
✓ *mein* + Akkusativ	*Ich habe meinen Koffer verloren.*

Einheiten 4 5 6
Sieh ‚Kannst du … ?' auf Seite 57, 69 und 81.

Wiederholung

1 a Luise macht eine Party. Was tragen ihre Gäste? Finde die passenden Bilder.

1 *Was trägst du heute Abend? Ich trage eine schwarze Jeans, ein grünes Hemd und eine weiße Jacke. Ich trage auch weiße Turnschuhe.*

2 *Ich trage eine braune Hose, ein gelbes Sweatshirt und eine rote Mütze. Und ich trage braune Schuhe.*

3 *Ich trage heute Abend einen roten Rock, eine blaue Bluse und schwarze Schuhe. Und ich trage eine graue Strumpfhose.*

4 *Ich trage ein grünes Kleid, einen schwarzen Pullover und eine gelbe Jacke. Ich trage braune Schuhe.*

1 b Was tragen die anderen Gäste? Schreib Sprechblasen für die anderen Bilder (Übung 1a).

Beispiel: *a Ich trage eine blaue Hose, …*

2 a Ina muss ihr Zimmer aufräumen! Wo ist alles? Schreib Sätze.

Beispiel: *Der Pullover ist unter dem Bett.*

2 b Ist alles richtig? Macht Dialoge.

Beispiel:
A Wo ist der Pullover?
B Der Pullover ist unter dem Bett.

3a Lies Saras E-Mail und beantworte die Fragen.

Nachricht

Hallo, Tim!

Vielen Dank für deine E-Mail gestern – und deine Geburtstagskarte! Mein Geburtstag war super!

Was habe ich gestern bekommen? Also, ich habe einen schwarzen Minirock und ein grünes T-Shirt bekommen – von meinen Eltern. Der Rock gefällt mir sehr gut – ich trage am liebsten Röcke. Aber das T-Shirt ist nicht so schön – leider! Es ist zu lang und zu groß.

Ich habe auch 40 Euro von meinen Großeltern bekommen. Ich bin in die Stadt gefahren und habe weiße Nike-Turnschuhe gekauft. Sie sind super!

Ich habe gestern eine Geburtstagsparty gemacht. Die Party war toll! Wir haben Pizza gegessen und Cola getrunken und wir haben getanzt. Ich habe auch mit Lars getanzt – Lars aus der 9A!! Ich habe auch Katrin und Daniel getroffen. (Katrin ist die Schwester von Lars. Sie ist sehr nett!) Ach ja, und Christian hat Gitarre gespielt – das war auch super. Aber jetzt muss ich den Partykeller aufräumen ...

Tschüs
Sara

1 Was war gestern?
2 Was hat Sara bekommen?
3 Welche Geschenke gefallen Sara – und warum?
4 Was gefällt ihr nicht – warum nicht?
5 Was hat sie gestern gemacht?
6 Was muss sie jetzt machen?

3b Du bist dran! Was hast du zum Geburtstag bekommen? Wie gefallen dir die Geschenke? Was hast du gemacht? Schreib eine E-Mail so wie Sara.

4a 📼 Was wollen sie machen? Hör gut zu. Kopiere den Zettel und mach Notizen.

Nachricht

Wer: ....

Was: ....

Wann: ....

Wo: ....

4b Du bist dran! Nimm weitere Telefon-Nachrichten auf Kassette auf (mit den Informationen unten).

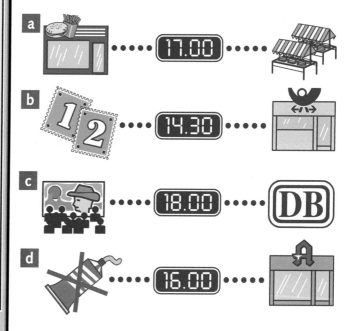

5 Mark vom Mars muss einkaufen. Wohin muss er gehen? Lies seine Einkaufsliste und schreib einen Zettel für ihn.

Beispiel:

Du hast keine Briefmarken – du musst zur Post gehen!

Briefmarken
Duschgel
Filzstifte
Halstabletten
Monatskarte

Die Klasse!-Clique

Folge 7

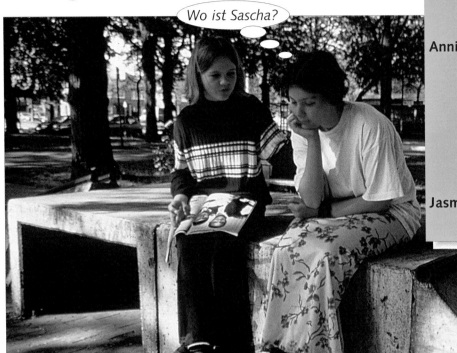

Wo ist Sascha?

Jasmin:	Alles ist langweilig! Ich wohne nicht gern in Wesel, weil es langweilig ist!
Annika:	Oh, Jasmin ... Wesel ist langweilig – ohne Sascha! Aber hier – schau mal: Heute Abend gibt es ein Konzert im Jugendzentrum – mit der Gruppe ‚Morgenstern‘. Kommst du mit? Alexander kommt auch!
Jasmin:	Ja, super! ‚Morgenstern‘ ist meine Lieblingsgruppe!

Atalay:	Das ist mein neues Skateboard – kann ich auch mal fahren?
Junge 1:	Nein! Du bist viel zu klein!
Junge 2:	Ja, Skateboardfahren ist zu gefährlich für Kinder!
Atalay:	Zu klein? Na wartet ...

Hilfe – nein!!

Nein – Atalay!!

Atalay!!

Fortsetzung folgt ...

1a Was meinst du? Vor dem Lesen: Rate!

1 Jasmin ist ...

   a traurig.

   b fröhlich.

2 Sie ...

   a kann Sascha nicht finden.

   b findet Sascha doof.

3 Annika und Jasmin ...

   a wollen ins Konzert gehen.

   b haben ein Skateboard gekauft.

4 Atalay will ...

   a Tennis spielen.

   b Skateboard fahren.

5 Er kann ...

   a sehr gut Skateboard fahren.

   b nicht Skateboard fahren.

2 🔊 Hör gut zu und lies mit. Wie heißt das auf Deutsch?

1 Because it's boring.

2 There's a concert tonight.

3 Can I have a go?

4 Skateboarding is too dangerous.

5 You wait!

3 Wer ist das? Schreib die passenden Namen auf.

1 Wer wohnt nicht gern in Wesel?

2 Wer will heute Abend ins Konzert gehen?

3 Wer spielt heute Abend im Jugendzentrum?

4 Wer hat ein neues Skateboard?

5 Wer ist nicht im Skateboardpark?

Viel Spaß!

🔊 *Stadt und Land*

> Busse und Gebäude
> Lärm und viele Leute
> Straßenbahnen, Motorräder
> Altpapier und Müll
>
> Blumen, Tiere, Bäume
> Lämmer in der Scheune
> Schmetterlinge, Seen, Wälder
> Erde, Wasser, Luft

A ▶

Ich wohne gern in der Stadt

1 a 🔊 Annika wohnt in Wesel. Was gibt es in der Stadt? Hör gut zu und lies mit.

1 b 👥 Du wohnst in Wesel. Was gibt es in der Stadt? **B** wählt drei Bilder, **A** fragt. Dann ist **A** dran.

Beispiel: **A** *Was gibt es in Wesel?*
B *Es gibt viele Geschäfte, …*

Es gibt …
1 ein großes Einkaufszentrum
2 viele Geschäfte
3 ein modernes Fußballstadion
4 ein neues Hotel
5 alte Gebäude
6 eine Tankstelle
7 ein Krankenhaus
8 einen schönen Park
9 eine Sparkasse
10 einen tollen Zoo

B ▶

Wiederholung Adjektive + Akkusativ

m.	Es gibt einen schön**en** Park. (+en)
f.	Es gibt eine klein**e** Sparkasse. (+e)
n.	Es gibt ein neu**es** Krankenhaus. (+es)

Singular	Plural
m. Es gibt einen Park. ➡	Es gibt viel**e** Parks.
f. Es gibt eine Tankstelle. ➡	Es gibt große Tankstellen.
n. Es gibt ein Geschäft. ➡	Es gibt schöne Geschäfte.

C ▶

2 Sara beschreibt ihre Stadt. Kopiere ihren Brief und füll die Lücken aus.

Ich wohne in Bocholt. Es gibt einen interessant___ Park, ein modern___ Krankenhaus und ein neu___ Einkaufszentrum in der Stadt. Es gibt auch viel___ Geschäfte und ein groß___ Hotel. Und es gibt einen klein___ Zoo, alt___ Gebäude und ein schön___ Fußballstadion!

144 ▶

3 🔊 Sven wohnt nicht gern in Wesel. Warum nicht? Hör gut zu und lies mit.

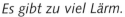
Es gibt zu viel Lärm.

Es gibt zu viel Umweltverschmutzung.

Es gibt zu viele Autos.

Es gibt keine Natur.

D ▶

Es gibt zu viel Verkehr.

4a 🔊 Wie finden Uwe und Katja ihre Stadt Bremen? Hör gut zu. Kopiere die Sprechblasen und füll die Lücken aus.

> *Ich wohne nicht gern in Bremen, weil es _____ gibt. Und ich wohne nicht gern hier, weil es viele _____ und _____ gibt. Aber ich wohne gern hier, weil es _____ gibt.*

> *Ich wohne gern hier, weil es _____ gibt. Aber ich wohne nicht gern in Bremen, weil es viel _____ gibt. Und ich wohne nicht gern hier, weil es _____ gibt.*

4b 👥 Ratespiel: Wer sagt was? **A** beginnt, dann ist **B** dran.

Beispiel: **A** *Ich wohne nicht gern hier, weil es viel Verkehr gibt.*
B *Das ist Uwe!*

E F ▶

Noch mal! Schreib zwei Listen: Was findest du gut und schlecht in deiner Stadt?

Beispiel:

gut	schlecht
viele Parks	viel Verkehr

Extra! Deine Stadt hat eine neue Website und macht dort eine Umfrage: „Wohnst du gern hier? Warum (nicht)?" Schreib eine E-Mail an deine Stadt.

Wiederholung *weil*

Ich wohne nicht gern hier. Es **gibt** viel Verkehr.	➡	Ich wohne nicht gern hier, weil es viel Verkehr **gibt**.
Ich wohne gern hier. Es **gibt** viel zu tun.	➡	Ich wohne gern hier, weil es viel zu tun **gibt**.

 152 ▶

Ich wohne gern auf dem Land

You will learn how to ...

✓ describe the countryside: *Es gibt viele Vögel. Es gibt keinen Verkehr.*

✓ give your opinion about living in the country: *Ich wohne gern auf dem Land, weil es viele Tiere gibt. Ich wohne nicht gern auf dem Land, weil es keine Discos gibt.*

1 🔊 Was gibt es auf dem Land? Hör gut zu und finde die richtige Reihenfolge für die Fotos.

a *Bäume* b *Blumen* c *Eichhörnchen* d *Frösche* e *Igel* f *Schmetterlinge* g *Schnecken* h *Seen* i *Spinnen* j *Vögel*

Noch mal! 👥 Macht 10 Karten mit den Bildern von Übung 1a. **A** nimmt eine Karte und fragt, **B** antwortet. Dann ist **B** dran.

Beispiel:
A Was sind das?
B Das sind Frösche!

Extra! 👥 Macht 10 Karten mit den Bildern von Übung 1a. **A** nimmt eine Karte und beschreibt das Wort, **B** rät. Dann ist **B** dran.

Beispiel:
A Sie sind grün ...
B Das sind Frösche!
A Nein. Sie sind grün und braun und sie sind sehr groß und alt.
B Das sind Bäume!
A Richtig!

2 👥 Warum wohnst du gern auf dem Land? Benutzt die 10 Karten von *Noch mal!/ Extra!* **A** fragt, **B** nimmt eine Karte und antwortet. Dann ist **B** dran.

Beispiel:
A Warum wohnst du gern auf dem Land?
B (Karte: Frösche) Ich wohne gern hier, weil es viele Frösche gibt.

3 📝 Was ist der Singular für die Pluralwörter? Schreib die Wörter auf. (Schreib auch *der, die, das* auf.)

Beispiel: *Bäume – der Baum*

Bäume	Eichhörnchen	Igel	Vögel
Blumen			Schnecken
		Frösche	
Seen	Schmetterlinge		Spinnen

 G ▶

4a Lies die Sätze – sind sie positiv oder negativ?

  1 Es gibt kein Jugendzentrum.
  2 Es gibt viel Natur und viele Tiere.
  3 Es ist sehr ruhig – es gibt keinen Lärm.
  4 Es gibt keine Disco.
  5 Es gibt keine Umweltverschmutzung.
  6 Es ist sehr langweilig.
  7 Es gibt keinen Verkehr.
  8 Es gibt kein Schwimmbad.

4b „Ich wohne gern/nicht gern auf dem Land, weil ...“ Schreib neue Sätze mit den Sätzen von Übung 4a.

  Beispiel: Ich wohne nicht gern auf dem Land, weil es kein Jugendzentrum gibt.

H ▶

Tipp □ Tipp □ Tipp

Deine Meinung mit Takt sagen

✘ Sag nicht:
> *Das ist blöd!*
> *Das finde ich total doof!*

✔ Sag:

Positiv:
> *Das ist richtig!*
> *Ja, das stimmt!*
> *Das finde ich auch!/Ich auch!*
> *Aber es ist/es gibt auch ...*

Negativ:
> *Das ist falsch!*
> *Nein, das stimmt nicht!*
> *Das finde ich nicht!/Ich nicht!*
> *Aber es ist/es gibt auch ...*

5 👥 Warum wohnst du lieber/nicht gern auf dem Land? Macht Dialoge mit den Informationen von Übung 4a.

  Beispiel:
  A Ich wohne lieber auf dem Land, weil es ruhig ist.
  B Das stimmt – aber es ist auch langweilig! Ich wohne nicht gern auf dem Land, weil ...

6a  Lea und Daniel wohnen auf dem Land. Wer sagt was? Hör gut zu und finde die passenden Sätze von Übung 4a.

  Beispiel: Lea: 6, ...

Tipp □ Tipp □ Tipp

Eine Zusammenfassung schreiben

□ Was ist wichtig? Schreib die Schlüsselwörter auf.

  Daniel: keinen Lärm, keine Autos/keinen Verkehr.

□ Für einige Sätze gibt es einen gemeinsamen Satz:

  Es gibt keinen Lärm/keinen Verkehr/keine Autos. ⟶ Es ist sehr ruhig.

□ Schreib dann deine Zusammenfassung:

  Daniel wohnt lieber auf dem Land. Es ist sehr ruhig und ...

6b  Warum wohnt Lea nicht gern auf dem Land? Hör noch einmal zu und schreib eine kurze Zusammenfassung.

Hilfe

Ich wohne gern/lieber hier, weil es ...
Ich wohne nicht gern hier, weil es ...
... sehr ruhig ist.
... viel Natur/viele Tiere gibt.
... keinen Lärm/keinen Verkehr **gibt**.
... keine Umweltverschmutzung/**keine Autos gibt**.
... keine Disco/kein Jugendzentrum/kein Kino **gibt**.
... langweilig ist.

7 Schreib ein Werbeplakat für ein Jugendzentrum auf dem Land oder in der Stadt: „Ich wohne gern auf dem Land/in der Stadt, weil ...“ Wie viele Sätze kannst du schreiben?

I ▶

Was ist Umwelt?

1 🔊 Was ist Umwelt? Hör gut zu und finde die richtige Reihenfolge für die Bilder.

Beispiel: n, ...

a Wald
b Luft
c Fabriken
d Verkehr
e Kraftwerke
f Wasser
g Müll
h Tiere
i Menschen
j Lärm
k Zigaretten
l Pestizide
m Pflanzen
n Erde

J K L M ▶

2 🔊 Probleme für die Umwelt. Hör gut zu und lies mit.

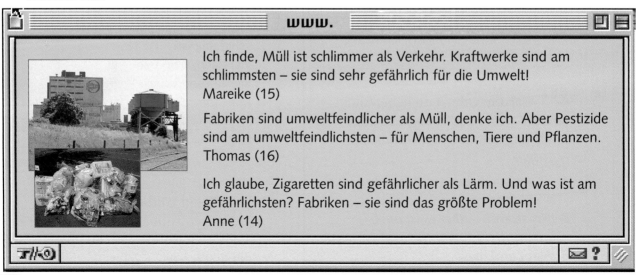

www.

Ich finde, Müll ist schlimmer als Verkehr. Kraftwerke sind am schlimmsten – sie sind sehr gefährlich für die Umwelt!
Mareike (15)

Fabriken sind umweltfeindlicher als Müll, denke ich. Aber Pestizide sind am umweltfeindlichsten – für Menschen, Tiere und Pflanzen.
Thomas (16)

Ich glaube, Zigaretten sind gefährlicher als Lärm. Und was ist am gefährlichsten? Fabriken – sie sind das größte Problem!
Anne (14)

N ▶

Grammatik im Fokus Komparative und Superlative

If you want to compare one thing with another, you add *-er als* to the adjective. If you want to say something is 'the most ...', you add *am -sten* to the adjective:

> Zigaretten sind gefährlich.
>
> Zigaretten sind gefährlich**er als** Lärm.
>
> Fabriken sind **am** gefährlich**sten**.

If there is another noun with the adjective, you add the article, and *-ste* to the adjective:

> Müll ist das größte Problem.
>
> Fabriken sind das schlimm**ste** Problem.

4 Hör gut zu. Was glauben Jasmin, Atalay, Annika und Sven? Wer sagt was?

Beispiel: Jasmin: 1, ...

1 Verkehr ist das größte Problem.
2 Lärm ist am umweltfeindlichsten.
3 Kraftwerke sind am gefährlichsten.
4 Pestizide sind das schlimmste Problem.
5 Fabriken sind umweltfeindlicher als Verkehr.
6 Zigaretten sind schlimmer als Lärm.
7 Kraftwerke sind gefährlicher als Zigaretten.
8 Verkehr ist schlimmer als Müll.

Hilfe

> Was ist das größte Problem?
> Ich finde/glaube/denke ...
> ... ist/sind das größte Problem.
> ... ist am gefährlichsten/schlimmsten/
>   umweltfeindlichsten.
> ... ist gefährlicher/schlimmer/umweltfeindlicher
>   als ...

3a Schau die Texte in Übung 2 an. Finde alle Sätze mit *-er als* und *am -sten* und schreib zwei Listen.

3b Was denken diese Schüler? Was ist *-er als* ... ? Was ist *am ... -sten*? Schreib Sätze.

Beispiel:
1 Verkehr ist schlimmer als Müll.
Aber Lärm ist am schlimmsten.

1 schlimm: Verkehr → Müll → Lärm
2 gefährlich: Zigaretten → Fabriken → Kraftwerke
3 umweltfeindlich: Müll → Lärm → Verkehr
4 schlecht: Zigaretten → Pestizide → Fabriken

5a Du bist dran! Was ist das größte Problem für die Umwelt? Was ist nicht so gefährlich – und was ist schlimmer? Was glaubst du? Mach Notizen.

Beispiel:

> das größte Problem: Lärm
> nicht so gefährlich: Fabriken, Zigaretten
> schlimmer: Müll

5b Macht Dialoge mit deinen Notizen von Übung 5a.

Beispiel:

> *A Was ist das größte Problem für die Umwelt?*
> *B Ich glaube, Lärm ist das größte Problem. Fabriken und Zigaretten sind nicht so gefährlich. Müll ist aber schlimmer.*

5c Eine Jugend-Umweltgruppe fragt auf ihrer Website: „Was ist das größte Problem für die Umwelt?" Schreib eine E-Mail mit deinen Notizen (Übung 5a).

Ich bin umweltfreundlich!

You will learn how to ...

✓ talk about actions that help or damage the environment: *Ich fahre mit dem Rad. Ich bringe Flaschen zum Altglascontainer. Das ist umweltfreundlich. Ich nehme Plastiktüten. Ich kaufe Cola in Dosen. Das ist nicht umweltfreundlich.*

1a 📷 Hör gut zu und finde die passenden Fotos.

a *Ich kaufe Recyclingpapier.*

b *Ich kaufe Cola in Dosen.*

c *Ich fahre mit dem Rad.*

Ich nehme Plastiktüten.

d

Ich bringe Flaschen zum Altglascontainer.

e

Ich trenne meinen Müll.

f

Ich bringe Altpapier zum Altpapiercontainer.

g

Ich bade jeden Tag.

h

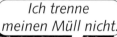

Ich fahre mit dem Auto.

i

Ich trenne meinen Müll nicht.

j

1b Was ist umweltfreundlich ✔ und was ist umweltfeindlich ✘? Was glaubst du? Lies noch einmal die Sätze in Übung 1a und schreib zwei Listen.

Beispiel:

umweltfreundlich	umweltfeindlich
Ich kaufe Recyclingpapier.	Ich nehme Plastiktüten.

1c 👥 Ist alles richtig? Macht Dialoge.

Beispiel:
A *Was ist gut für die Umwelt – was glaubst du?*
B *Ich kaufe Recyclingpapier. Das ist umweltfreundlich!*

2a Schreib ein Umwelttagebuch: Was machst du immer, oft, manchmal, selten oder nie?

Beispiel: *Ich kaufe immer Recyclingpapier.*

2b 👥 Mach eine Umfrage: „Was machst du wie oft?" Schreib die Resultate auf (z. B. mit dem Computer).

Beispiel: *Ich nehme immer Plastiktüten. (3 Schüler/Schülerinnen)*

3a 🔊 Hör gut zu und lies mit.　　**3b** 👥 Nehmt den Cartoon auf Kassette auf.

4a Hier sind weitere Sätze. Was glaubst du –
was ist umweltfreundlich ✔ und was ist
umweltfeindlich ✗?

1　Ich kaufe Limonade in Recyclingflaschen.
2　Ich dusche jeden Morgen.
3　Ich bringe Flaschen zum Müll.
4　Ich kaufe neues weißes Papier.
5　Ich gehe immer zu Fuß.
6　Ich nehme Tüten aus Stoff.

4b 🔊 Ist alles richtig? Hör gut zu.

Q R ▶

Noch mal! 👥 Macht ein Umweltplakat. Was
ist umweltfreundlich – und was ist
umweltfeindlich? Zeichnet Bilder und
schreibt die Wörter auf.

Beispiel:

umweltfreundlich: Limonade in Recyclingflaschen

umweltfeindlich: 　Plastiktüten

Extra! 👥 Was ist umweltfreundlich und
umweltfeindlich? Schreibt eine Broschüre
für die Jugend-Umweltgruppe ‚Grüne
Jugend‘.

Beispiel:

Was ist umweltfreundlich?
Man fährt mit dem Rad.
Man nimmt Stofftüten.

Gut gesagt!　Lange Wörter

5 🔊 Hör gut zu und wiederhole.

umweltfreundlich
　　　　　　　　　　Limonade
　　Umweltverschmutzung
　　　　　　　　　Recyclingflaschen
Plastiktüten
　　　　　umweltfeindlich
　Altpapiercontainer
　　　　　　　Zigaretten

Umweltschutz in der Schule

Schule im Garten

Montagmorgen, 3. Stunde: die Klasse 8A der Limesschule in Idstein geht zum Unterricht – im neuen Schulgarten. „Unser Garten ist ein Jahr alt", sagt Anne Kleinert (14). „Hier war vorher nur Rasen und Erde!" Jetzt gibt es hier Beete für Gemüse und Blumen und einen Garten für Kräuter. „Wir pflanzen Zwiebeln, Kartoffeln, Tomaten und Erdbeeren für die Schulküche!" sagt Lukas Mohr (15). „Und im Sommer gibt es Blumen für die Klassenzimmer!" Die jungen Hobbygärtner arbeiten gern im Schulgarten – drei bis vier Unterrichtsstunden pro Woche. „Es gibt immer viel zu tun", sagt Anne, „wir wollen im Frühling eine Wiese für Schmetterlinge bauen und wir wollen 20 Obstbäume pflanzen! Und im Sommer machen wir eine Wasser-Aktion: Wir wollen den See neben der Schule sauber machen!"

der Rasen – lawn
Beete – flower beds
Kräuter – herbs
pflanzen – to plant
eine Wiese – meadow
eine Aktion – campaign

1 Macht eine Umweltschutz-Aktion in der Schule!

a Was wollt ihr machen? Was ist wichtig? Schreibt einen Plan.

Wir räumen den Schulhof auf!

Wir bringen Altpapier zum Altpapiercontainer.

Wir ...

b Was braucht ihr für die Aktion? Schreibt eine Liste.

große Tüten (für den Müll)

Besen

Container für Altpapier

Container für Altglas (Flaschen usw.)

c Wann macht ihr die Aktion? Fragt euren Lehrer/eure Lehrerin und schreibt ein Einladungsposter.

Große Umweltaktion: Wir räumen den Schulhof auf!

Bitte kommt alle und macht mit!

Wann?
Am Freitag, den 17. Mai um 14 Uhr
Wo?
Auf dem Schulhof (neben dem Lehrerzimmer)

2 Nach der Aktion: Macht ein Umweltschutz-Poster für die Schule.

a Trennt den Müll und notiert die Resultate. Schreibt die Resultate mit dem Computer auf.

Das ist der Schulhofmüll
(am Freitag, den 17. Mai):

Coladosen	Getränketüten	Chipstüten	Plastiktüten
9	12	6	4

b Was ist alles Umwelt? Schreibt ein Umweltschutz-ABC und zeichnet Bilder.

c Was ist umweltfreundlich – und was ist umweltfeindlich? Findet oder zeichnet Bilder und schreibt Sätze.

umweltfreundlich	umweltfeindlich
Wir fahren mit dem Rad.	Wir trinken Cola in Dosen.

d Macht eine Schulumfrage. Fragt: „Was ist das größte Problem für die Umwelt?" und schreibt die Resultate auf (z. B. mit dem Computer).

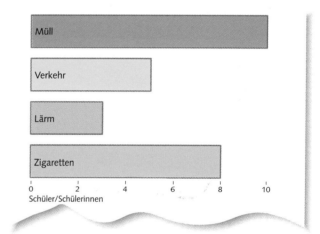

Kannst du ... ?

✓ deine Stadt beschreiben:	*Es gibt viele Geschäfte. Es gibt einen tollen Zoo.*
✓ sagen:	*Ich wohne gern in der Stadt. Ich wohne nicht gern in der Stadt, weil es viel Verkehr gibt.*
✓ Leben auf dem Land beschreiben:	*Es gibt viele Vögel. Es gibt keinen Verkehr.*
✓ sagen:	*Ich wohne gern auf dem Land, weil es viele Tiere gibt. Ich wohne nicht gern auf dem Land, weil es keine Discos gibt.*
✓ Umwelt beschreiben:	*Müll, Tiere, Wasser, Zigaretten, Pflanzen, Fabriken ...*
✓ sagen:	*Ich finde, Lärm ist das größte Problem. Müll ist schlimmer als Verkehr. Kraftwerke sind am gefährlichsten.*
✓ sagen:	*Ich fahre mit dem Rad. Ich bringe Flaschen zum Altglascontainer. Das ist umweltfreundlich. Ich nehme Plastiktüten. Ich kaufe Cola in Dosen. Das ist nicht umweltfreundlich.*

Und Grammatik im Fokus ... ?

✓ Komparative und Superlative	*Zigaretten sind gefährlicher als Lärm. Pestizide sind am umweltfeindlichsten. Müll ist das größte Problem.*

Die Klasse!-Clique

Folge 8

Hier – nimm diese Tabletten – mit Wasser. Und nimm auch diese Lotion – für deinen Fuß.

Danke, Frau Meyer!

Jasmin: Atalay, was fehlt dir?
Annika: Wo tut es weh?
Atalay: Au! Mein Fuß tut weh – und mein Arm! Und ich habe Kopfschmerzen!
Jasmin: Du musst nach Hause gehen! Komm! Meine Mutter ist zu Hause!
Junge 1: Ja – wir kommen mit!

Junge 1: Atalay – es tut mir Leid.
Junge 2: Ja – Entschuldigung, Atalay!
Junge 1: Kann ich dir helfen? Hier ist dein Skateboard!
Junge 2: Du kannst jeden Tag auf unserer Skateboardbahn fahren, Atalay!
Atalay: Ja? Vielen Dank!

Jasmin: Ich habe eine Nachricht – von Sascha!! „Hallo, Jasmin! Wo warst du gestern? Treffen wir uns heute Abend im Jugendzentrum um 19 Uhr 30 – vor der Imbissstube? Es gibt ein Konzert – mit der Gruppe ‚Morgenstern'. Ich trage eine weiße Jeans und ein schwarzes T-Shirt. Bitte komm – Sascha!"

Fortsetzung folgt ...

1 Was meinst du? Vor dem Lesen: Rate!

  1 Atalay ...

    a geht's nicht gut.

    b geht's sehr gut.

  2 Jasmin, Annika und Atalay gehen ...

    a ins Krankenhaus.

    b nach Hause.

  3 Jasmins Mutter ...

    a ist sehr streng.

    b hilft Atalay.

  4 Die Skateboard-Jungen sind ...

    a jetzt sehr nett.

    b total gemein.

  5 Jasmin ...

    a schreibt eine Nachricht an Sascha.

    b hat eine Nachricht von Sascha bekommen.

2 🔊 Hör gut zu und lies mit. Wie heißt das auf Deutsch?

  1 What's wrong?

  2 Where does it hurt?

  3 My foot hurts!

  4 I've got a headache!

  5 Take these tablets.

  6 Take this lotion.

3 Sind die Sätze richtig oder falsch?

  1 Atalays Bein tut nicht weh.

  2 Er muss die Tabletten mit Wasser nehmen.

  3 Die Lotion ist für seine Kopfschmerzen.

  4 Atalay darf nicht auf der Skateboard-bahn fahren.

  5 Jasmin und Sascha wollen um halb acht im Jugendzentrum sein.

  6 Jasmin trägt eine Jeans und ein T-Shirt.

Viel Spaß!

🔊 *Au, au, au!*

Wo tut es weh?
Wo tut es weh?
Was fehlt dir?
Wo tut es weh?

Mein Arm tut weh!
Au, au, au!

Refrain

Mein Bein tut weh!
Mein Arm tut weh!
Au, au, au!

Refrain

Mein Knie tut weh!
Mein Bein tut weh!
Mein Arm tut weh!
Au, au, au!

Refrain

Mein Fuß tut weh!
Mein Knie tut weh!
Mein Bein tut weh!
Mein Arm tut weh!
Au, au, au!

Refrain

Mein Kopf tut weh!
Mein Fuß tut weh!
Mein Knie tut weh!
Mein Bein tut weh!
Mein Arm tut weh!
Au, au, au!

Refrain

Mein Bauch tut weh!

You will learn how to …

✓ name parts of your body: *mein Arm, meine Zähne*

✓ say where it hurts: *Mein Hals tut weh. Ich habe Kopfschmerzen.*

✓ ask what's wrong and since when: *Was fehlt dir? Wo tut es weh? Seit wann?*

✓ say how long you've been ill: Seit gestern. *Ich habe seit zwei Tagen Fieber.*

✓ understand the doctor's instructions: *Nimm diese Tabletten einmal täglich.*

1a 📼 Hör gut zu und lies mit.

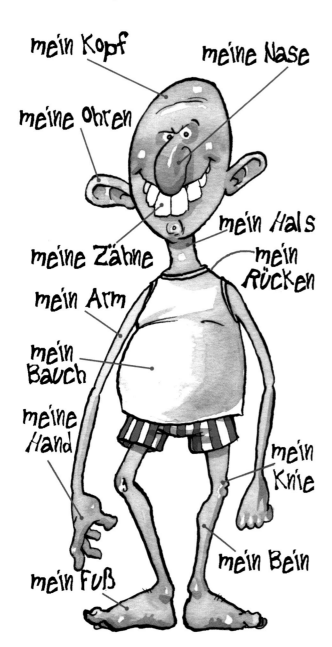

1b 👥 Was tut weh? **A** macht eine Pantomime, **B** rät. Dann ist **B** dran.

Beispiel:

Mein Bauch tut weh!

2 📼 Hör gut zu und finde die passenden Bilder für die Sätze.

1 Ich habe Kopfschmerzen.

2 Ich habe Zahnschmerzen.

3 Ich habe Bauchschmerzen.

4 Ich habe Halsschmerzen.

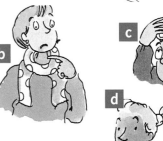

3 👥 Was tut weh? Macht Dialoge – von Kopf bis Fuß!

Beispiel:

A *Ich habe Kopfschmerzen.*

B *Meine Ohren tun weh.*

C *Ich habe Zahnschmerzen.*

C ▸   D ▸

4 Sven und Annika sind beim Arzt. Hör gut zu und lies mit.

> Ärztin: Wo tut es weh, Sven?
> Sven: Mein Kopf tut weh und ich habe Halsschmerzen. Und ich habe auch Husten.
> Ärztin: Seit wann hast du Husten?
> Sven: Seit zwei Tagen.
> Ärztin: Hmm ... Du hast auch Fieber. Also, du hast Grippe, Sven!

> Arzt: Hallo, Annika! Was fehlt dir?
> Annika: Ich habe Heuschnupfen!
> Arzt: Hier – nimm diese Tabletten zweimal täglich.
> Annika: Vor dem Essen?
> Arzt: Nein, nach dem Essen.

E ▶

5 a Hör gut zu. Wo tut es weh – und seit wann? Und was müssen sie nehmen? Kopiere den Zettel dreimal und mach Notizen.

> *Beispiel:*

> Name: ....Atalay.................................
> Wo tut es weh?: ....Kopf, Bauch.................
> Seit wann?: ....seit ....
> Nimm: ....

5 b A ist Arzt/Ärztin, B ist Jasmin, Atalay oder Daniel. Macht Dialoge mit deinen Notizen von Übung 5a.

> *Beispiel:* A *Wo tut es weh, Atalay?*
> B *Mein Kopf tut weh und ...*

F G ▶

Hilfe

> Was fehlt dir? Wo tut es weh?
> Mein(e) ... tut/tun weh.
> Ich habe ... -schmerzen.
> Ich habe Fieber/Grippe/Husten.
> Du hast Schnupfen/Heuschnupfen.
> Seit wann?
> Seit gestern/zwei Tagen/Montag/einer Woche.
> Nimm diese Tabletten/Tropfen/Lotion ...
> Nimm dieses Medikament ...
> ... einmal/zweimal/dreimal/täglich.
> ... vor/nach dem Essen./... mit Wasser.

Grammatik im Fokus *seit*

If you want to say how long you have been ill, you use the present tense with *seit* (since):

> Seit wann **hast du** Grippe?
> *How long **have you had** flu?*
>
> **Ich habe** seit gestern Fieber.
> *I've had a temperature since yesterday.*
>
> Mein Hals **tut** seit zwei Tagen weh.
> *My throat **has been hurting** for two days.*

6 Schreib Sätze mit den Notizen unten.

> *Beispiel:* 1 *Ich habe seit gestern Grippe.*

> 1 Grippe – gestern
> 2 Arm – 2 Tage
> 3 Schnupfen – Dienstag
> 4 Bauch – 3 Tage
> 5 Husten – Mittwoch
> 6 Bein – 1 Woche

H ▶ 143 ▶

7 Uwe war beim Arzt und kann nicht zur Schule gehen. Wo tut es weh – und seit wann? Und was muss er nehmen? Kopiere seinen Entschuldigungsbrief und füll die Lücken aus.

> Lieber Herr Jung,
>
> ich kann heute leider nicht in die Schule
>
> gehen. Ich habe seit ▯ ▯ .
>
> Ich habe ☹ und meine 👂👂
>
> tun weh. Ich muss **2 x Tag** 💊
>
> nehmen – 🍽️

I ▶

Iss dich fit!

You will learn how to ...

✓ discuss what's good and bad for your health: *Ich esse jeden Tag Salat. Das ist gesund. Ich trinke Kaffee. Das ist ziemlich ungesund.*

1a Mach das Quiz.

1b 📷 Ist alles richtig? Hör gut zu.

Quiz: Gesund essen und trinken

1 Lies die Lebensmittel-Wörter. Was ist was? Ordne die Wörter unter die passenden Überschriften.

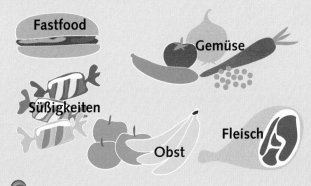

Fastfood · Gemüse · Süßigkeiten · Obst · Fleisch

Würstchen · Schokolade · Äpfel · Currywurst · Bananen · Eis · Hamburger · Kekse · Hähnchen · Kuchen · Orangen · Kartoffeln · Pizza · Tomaten · Paprika · Schinken · Salat · POMMES FRITES

2 Lies noch einmal die Lebensmittel-Gruppen (Überschriften) in Frage 1. Ordne sie von 1 (sehr gesund) bis 5 (total ungesund).

3 Und zu trinken? Was ist sehr gesund ✔✔, ziemlich gesund ✔ oder ungesund ✗? Schreib die Reihenfolge auf.

Mineralwasser · Limonade · Apfelsaft · Cola · Kaffee · Tee · Milch · ORANGENSAFT

4 Welche Mahlzeit ist die Nummer eins für die Gesundheit?

> Frühstück: Cornflakes, Toast, Tee
> Mittagessen: Schokolade, Chips, Cola
> Abendessen: Pommes frites, Eis, Limonade

5 Du bist im Restaurant und willst gesund essen. Lies die Speisekarte und wähle das gesunde Essen.

1 a Müsli mit Zucker und Sahne
   b Müsli mit Jogurt und Erdbeeren

2 a Nudeln mit Käse und Ei
   b Nudeln mit Pilzen und Tomaten

3 a Pizza mit Spinat und Thunfisch
   b Pizza mit Wurst und Käse

4 a Reissalat mit Majonäse
   b Grüner Salat mit Zwiebeln

5 a Brötchen mit Butter und Marmelade
   b Brot ohne Butter und mit Tomate

J K L

2 W Du bist dran! Was hast du gestern gegessen und getrunken? Schreib eine Liste.

Beispiel: *Toast, Tee, ...*

3a Lies deine Wörter von Übung 2 und die Wörter vom Quiz. Was isst und trinkst du: jeden Tag, manchmal, selten und nie? Schreib vier Listen.

Beispiel: *jeden Tag: Pizza, Milch, Chips ...*

3b Diskutiere deine Liste mit deinem Partner/deiner Partnerin: Ist das gesund oder ungesund?

Beispiel:
A *Ich esse jeden Tag Pizza. Das ist ziemlich gesund, finde ich.*
B *Nein, das ist ungesund!*

Noch mal! Schreib einen ‚Gesund essen und trinken-Speiseplan' für deine Familie – für eine Woche.

Beispiel:
Montag
Frühstück: Wir essen Cornflakes mit Milch und wir trinken Tee.
Mittagessen: ...

Extra! Was hast du letzte Woche gegessen und getrunken? Schreib ein Tagebuch: Wie ist alles? Sehr gesund, ziemlich gesund, nicht so gesund oder ungesund?

Beispiel:
Montag:
Frühstück: Ich habe Müsli mit Banane gegessen und Milch getrunken. Das ist gesund – Obst ist sehr gesund.

Tipp □ Tipp □ Tipp

Zusammengesetzte Nomen

4a Einige Nomen bestehen aus mehreren Wörtern. Was bedeuten diese Wörter? Rate!
1 Fußballspiel   4 Taxifahrer
2 Tischtennis   5 Waschmaschine
3 Käsekuchen   6 Trinkwasser

4b W Ist alles richtig? Schau im Wörterbuch nach.

der, die oder *das*? Immer das letzte Wort:

der Gemüsesalat: das Gemüse + der Salat
die Abendspeisekarte: der Abend + die Speise + die Karte
das Mittagspausenbrot: der Mittag + die Pause + das Brot

5a W *der, die* oder *das*? Finde die passenden Artikel für die Wörter in Übung 4a.

5b Finde fünf andere zusammengesetzte Nomen in Einheit 8. Was bedeuten sie? Und sind sie *der, die* oder *das*?

Gut gesagt!   Zusammengesetzte Nomen

6 Hör gut zu und wiederhole.

Heuschnupfen   Currywurst
Mineralwasser   Thunfisch
Bauchschmerzen   Volleyball
Orangensaft   Pausenbrot

Meine Gesundheit

1a Lies die Texte.

Ich mache viel für meine Gesundheit. Ich bin ziemlich sportlich. Ich fahre seit zehn Jahren Ski. Wir fahren jeden Winter zum Skifahren nach Österreich. Und im Sommer fahre ich Skateboard – das macht Spaß. Und ich spiele seit sechs Monaten Golf – mit meinem Vater. Aber mein Lieblingssport ist Radfahren: Ich habe ein Mountainbike und fahre jeden Tag: zur Schule, in die Stadt, in die Disco ...
Jakob (15)

Ich mache gern Sport – Sport macht fit und ist gesund. Mein Lieblingssport ist Fußball. Ich spiele seit fünf Jahren Fußball. Ich spiele zweimal pro Woche: Ich spiele mittwochs in der Schule und am Samstag spiele ich im Jugendzentrum. Meine Freundinnen sagen: „Fußball ist nichts für Mädchen!", aber das stimmt nicht. Fußball ist ein toller Sport – für Jungen und für Mädchen.
Nadine (16)

Sport ist langweilig – und anstrengend! Ich muss in der Schule einmal pro Woche Sport machen: Basketball, Turnen, Volleyball ... Das finde ich furchtbar. Nachmittags, nach der Schule, bin ich am liebsten in meinem Zimmer: Ich lese oder ich sehe fern. Aber ich bin nicht total faul: Ich habe seit zwei Jahren einen Hund und wir gehen jeden Morgen in den Park – zu Fuß.
Torsten (14)

1b Wer macht was? Finde die passenden Bilder.

Beispiel: Jakob: b, ...

1c Lies die Texte noch einmal. Wer macht was seit wann/wie oft? Mach Notizen.

Beispiel:
1 seit fünf Jahren: Nadine – Fußball

1 seit fünf Jahren	6 jeden Winter
2 seit zwei Jahren	7 zweimal pro
3 seit sechs Monaten	Woche
4 seit zehn Jahren	8 jeden Tag
5 jeden Morgen	

1d Was machen Jakob, Nadine und Torsten für ihre Gesundheit – und seit wann und wie oft? Schreib drei kurze Artikel mit deinen Notizen von Übung 1c.

Beispiel: Nadine spielt seit fünf Jahren Fußball. Sie spielt ...

2a 👥 Du bist dran! Was für Sport machst du für deine Gesundheit? Seit wann und wie oft machst du das? **A** ist Reporter und fragt, **B** antwortet.

Beispiel:
A Was für Sport machst du?
B Ich spiele seit zwei Jahren Tennis.
A Und wie oft machst du das?
B Zweimal pro Woche.

2b Machst du Sport? Seit wann und wie oft? Schreib einen Artikel so wie in Übung 1a.

3 🔊 Hör gut zu und lies mit.

Tipps für die Gesundheit

Iss viel Obst und Gemüse!

Rauch nicht!

Iss keine Süßigkeiten!

Trink viel Wasser!

Mach viel Sport!

Iss kein Fastfood!

Trink keinen Alkohol!

Geh viel zu Fuß!

Grammatik im Fokus — Der Imperativ

The imperative is used to give instructions or advice.

For friends, family or children you use the *du* form of the verb without the *du* and the -st ending and you start with the verb:

Du trinkst viel Wasser. ➡	**Trink** viel Wasser!
Du isst keine Süßigkeiten. ➡	**Iss** keine Süßigkeiten!

For adults or strangers you use the *Sie* form with the *Sie* and you start with the verb:

Sie machen viel Sport. ➡	**Machen Sie** viel Sport!
Sie rauchen nicht. ➡	**Rauchen Sie** nicht!

4a Schreib die Sätze richtig auf.

1 Iss / Chips / keine / !
2 keine / Schokolade / Kauf / !
3 jeden Tag / Mineralwasser / Trink / !
4 Fastfood-Restaurants / in / nicht / Geh / !
5 Sport / zweimal / Mach / Woche / pro / !
6 viel / und / Obst / Salat / Iss / !

4b 👥 Ist alles richtig? A fragt, B antwortet.

Beispiel: A *Nummer 1 – Iss keine Chips!*
B *Richtig!*

5 Schreib neue Imperativ-Sätze.

Beispiel: 1 Nimm diese Tabletten!

1 Du nimmst diese Tabletten.
2 Sie gehen zu Fuß in die Stadt.
3 Du kochst ohne Fleisch.
4 Sie spielen jeden Tag Fußball.
5 Du gehst um 20 Uhr ins Bett.
6 Sie nehmen diese Tropfen.

6a Schreib eine ‚Tipps für die Gesundheit'-Broschüre: Erfinde weitere Tipps für die Gesundheit und finde oder zeichne Bilder.

Beispiel: Iss jeden Tag Frühstück! Frühstück ist gesund.

6b 👥 Diskutiere deine Broschüre mit deinem Partner/deiner Partnerin.

Beispiel:
A *Mein Tipp Nummer eins: Iss jeden Tag Frühstück! Frühstück ist gesund.*
B *Ja, das stimmt! Und hier ist mein Tipp Nummer eins: ...*

O P ▷

149 ▷

Was soll man für die Gesundheit tun?

You will learn how to ...

✓ say what you should do for a healthy lifestyle: *Man soll viel Obst essen.*

✓ say what you shouldn't do for a healthy lifestyle: *Man soll nicht rauchen.*

✓ say what you're going to do for your health: *Ich werde viel Sport treiben.*

1 🔊 Was soll man für die Gesundheit tun? Hör gut zu und lies mit.

Q ▶

2 🔊 Was sagen Jana und Marius – was soll man für die Gesundheit tun? Hör gut zu und finde die passenden Bilder in Übung 1.

Beispiel: Jana: d, ...

Grammatik im Fokus *ich/man soll ...*

Sollen is another modal verb: it sends the main verb to the end of the sentence – in its infinitive form.

Ich **esse** Süßigkeiten. ➡	Man **soll** keine Süßigkeiten essen.
Ich **rauche** nicht. ➡	Man **soll** nicht **rauchen**.

3 Schreib neue Sätze mit *Man soll ...*

Beispiel:

1 Man soll keinen Kuchen essen.

1 Ich esse keinen Kuchen.
2 Ich esse jeden Tag Obst.
3 Ich gehe viel zu Fuß.
4 Ich esse keine Pizza.
5 Ich trinke viel Wasser.
6 Ich schwimme jeden Tag.

R 148 ▶

4 Was soll man in der Schule für die Gesundheit tun? Mach ein Poster für das Klassenzimmer.

Beispiel: Man soll zu Fuß zur Schule gehen.
Man soll kein Fastfood essen.

Noch mal! 👥 Wie findet dein Partner/deine Partnerin deine Tipps? Macht Dialoge.

Beispiel:
A Man soll zu Fuß zur Schule gehen – das finde ich nicht so gut.
B Ja, aber das ist gut für die Gesundheit!

Extra! Lies deine Tipps noch einmal. Warum soll man das tun? Schreib Sätze mit *weil*.

Beispiel: Man soll zu Fuß zur Schule gehen, weil das fit macht.

5 🔊 Es ist Neujahr. Jasmin will im neuen Jahr viel für ihre Gesundheit tun. Hör gut zu und lies mit.

1 Ich werde viel Sport treiben.
2 Ich werde kein Fastfood essen.
3 Ich werde jeden Tag Obst essen.
4 Ich werde zu Fuß zur Schule gehen.
5 Ich werde viel Mineralwasser trinken.
6 Ich werde keine Süßigkeiten essen.

S ▶

Grammatik
im Fokus   *ich werde ...*

The future tense describes what someone **will do** or **is going to do.** To form the future tense you use the present tense of the verb *werden*.

Werden is used in exactly the same way as a modal verb: it sends the second verb to the end of the sentence, in its infinitive form:

Ich **werde** keine Süßigkeiten **essen.**
Ich **werde** nicht **rauchen.**

6 Schreib Neujahrs-Sätze mit *Ich werde ...*

Beispiel:
1 Ich werde keine Chips essen.

1 Ich esse keine Chips.
2 Ich spiele jeden Tag Tennis.
3 Ich esse viel Obst und Gemüse.
4 Ich trinke keinen Alkohol.
5 Ich fahre mit dem Rad zur Schule.
6 Ich esse kein Fleisch.

7 👥 Was willst du für deine Gesundheit tun? Macht Dialoge mit den Informationen unten.

Beispiel: **A** *Ich werde keine Pizza essen.*
              B *Und ich werde viel Gemüse essen.*

151 ▶

T U ▶

8a Du bist dran! Lies Ulrikes Brief. Schreib dann einen Antwortbrief mit deinen Neujahrs-Sätzen.

Heute ist Neujahr und ich will im neuen Jahr viel für meine Gesundheit tun! Hier ist meine ‚Neujahrs-Hitparade':

1 Ich werde jeden Tag Salat essen: Tomaten, Paprika usw. Das ist gesund!
2 Ich werde keine Cola trinken, weil Cola ungesund ist.
3 Ich werde jeden Tag Sport treiben, weil das fit macht. Ich werde Tennis spielen und ich werde auch schwimmen.
4 Ich werde mit dem Rad zur Schule fahren – jeden Tag! Das ist gesund – und billig!
5 Ich werde kein Fleisch essen, weil zu viel Fleisch ungesund ist.

Und du? Was willst du im neuen Jahr für deine Gesundheit tun?

Tschüs

Ulrike

8b 👥 Lies deine ‚Neujahrs-Hitparade' vor. Die Klasse hört zu. Welche ‚Neujahrs-Hitparade' ist die Nummer eins?

📎 *Tipp □ Tipp □ Tipp*

Eine Mini-Präsentation machen

□ Mach Notizen: Schreib die Schlüsselwörter auf.

□ Schreib einen Text mit den Schlüsselwörtern.

□ Sprich vor der Klasse – benutze deinen Text oder nur deine Schlüsselwörter.

□ Werde nicht nervös – sprich schön langsam und deutlich.

Die Klasse 7c aus Wesel hat eine Kampagne für die Gesundheit gemacht.

Ein Herz für die Gesundheit

Sport-Umfrage: Nur 43% der Schüler/Schülerinnen in der Gesamtschule am Lauerhaas machen oft (jeden Tag oder zwei- bis dreimal pro Woche) Sport. Das ist nicht viel! Und ... 13% machen nie Sport! Aber Sport macht fit – und macht Spaß! Und Sport ist gut für die Gesundheit!! Macht jeden Tag Sport – das kann man hier in der Schule machen!

Sport-AGs

Montag: 14 Uhr 30: Fußball (für Mädchen und Jungen!) Sportplatz (Herr Schiller)

Dienstag: 15 Uhr: NEU! Skateboardfahren! Sporthalle A (Herr Clausen)

Mittwoch: 14 Uhr 45: Basketball (Mädchen); 17 Uhr: Basketball (Jungen) (Frau Mai)

Donnerstag: 16 Uhr: Schwimmen (Hallenbad Süd) (Frau Dörl)

Freitag: 16 Uhr 30: Inlineskating (für Schüler/innen) Schulhof (Herr Kinne)

Essen und Trinken

62% der Schüler/innen essen mittags Pausenbrote von zu Hause. Das ist gut! Aber 25% kaufen mittags Fastfood oder Süßigkeiten vom Imbiss. Und 13% essen mittags gar nichts! Macht mit beim ‚Fitness-Pausenbrot'-Kochkurs:

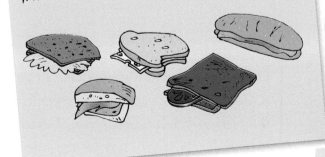

Mexicana-Snack

2 Scheiben Vollkornbrot
Senf
1 Scheibe Schinken
1 Scheibe Käse
1 Tomate
½ Avocado
1 Löffel Mais
1 Löffel Jogurt

Brot mit Senf bestreichen, Schinken darauf geben.

Tomaten und Avocado klein schneiden, Mais und Jogurt dazu mischen.

Alles auf das Brot geben, Käse darauf geben. Fertig!

Macht auch eine Kampagne für die Gesundheit!

1 a Macht eine Sport-Umfrage in der Schule. Fragt: „Wie oft machst du Sport?" und schreibt die Resultate auf.

1 b Was für Sport kann man in der Schule machen? Schreibt und zeichnet einen Sport-Stundenplan.

2 a Macht eine Schulumfrage: „Was isst du jeden Tag, manchmal oder nie?" Schreibt die Resultate auf. Fragt auch: „Was meinst du – ist dein Essen und Trinken sehr gesund, ziemlich gesund, nicht so gesund oder ungesund?" und schreibt die Resultate auf.

Beispiel:

10 Schüler/Schülerinnen essen jeden Tag Brot oder Brötchen. Das ist gesund.
7 Schüler/Schülerinnen essen jeden Tag ...

2 b Macht einen ‚Gesund essen und trinken'-Speiseplan für:

a Pausenbrote   **b** die Kantine

Beispiel:

Pausenbrote ungesund   gesund

zu viel Butter, zu viel Majonäse; Pommes frites; Chips; Cola; kein Obst

Senf (keine Butter oder Majonäse); Schinken; ein Apfel; Orangensaft

3 Macht einen Radiospot für das Schulradio – nehmt alle Informationen auf Kassette auf.

Beispiel:
Thema Nummer eins ist Sport. Nur 11 Schüler und Schülerinnen machen jeden Tag Sport – das ist nicht viel! ...

Kannst du ... ?

✓	deinen Körper beschreiben:	*mein Arm, meine Zähne*
✓	fragen und sagen:	*Was fehlt dir? Wo tut es weh? Mein Hals tut weh. Ich habe Kopfschmerzen.*
✓	fragen und sagen:	*Seit wann? Seit gestern. Ich habe seit zwei Tagen Fieber.*
✓	verstehen:	*Nimm diese Tabletten einmal täglich. Nimm diese Tropfen mit Wasser.*
✓	sagen:	*Ich esse jeden Tag Salat. Das ist gesund.*
✓	sagen:	*Ich mache viel für meine Gesundheit. Ich mache viel Sport.*
✓	sagen:	*Trink viel Wasser! Iss viel Obst und Gemüse!*
✓	sagen:	*Man soll viel Obst essen. Man soll nicht rauchen.*
✓	sagen:	*Ich werde viel Sport treiben. Ich werde keine Süßigkeiten essen.*

Und Grammatik im Fokus ... ?

✓	*seit*	*Seit wann hast du Grippe? Ich habe seit gestern Fieber. Mein Hals tut seit zwei Tagen weh.*
✓	Der Imperativ	*Trink viel Wasser! Iss keine Süßigkeiten! Machen Sie viel Sport! Rauchen Sie nicht!*
✓	*ich soll/man soll ...*	*Ich soll keine Süßigkeiten essen. Man soll nicht rauchen.*
✓	*ich werde ...*	*Ich werde keine Süßigkeiten essen. Ich werde nicht rauchen.*

Die Klasse!-Clique

Letzte Folge

1a Was meinst du? Vor dem Lesen: Beantworte die Fragen.

1 Wo ist Jasmin?

2 Wen will sie treffen?

3 Was trägt Sascha?

4 Wer ist Sascha?

1b 📼 Ist alles richtig? Hör gut zu und lies mit.

2 Nach dem Lesen: Lies die Texte. Welcher Text ist richtig?

1

> Jasmin und Sascha gehen zum Konzert im Jugendzentrum. Dort treffen sie Alexander – er spielt in der Gruppe ‚Morgenstern'!

2

> Jasmin trifft Sascha vor der Imbissstube. Sascha ist Alexander – und sie mag Alexander sehr gern!

Einen Monat später ...

Jasmin: Was machst du in den Sommerferien, Atalay?

Atalay: Ich werde einen Skateboardkurs machen!

Sven: Ich werde meine Eltern in Chemnitz besuchen – aber im September bin ich wieder in Wesel!

Annika: Und du, Jasmin? Was machst du in den Sommerferien?

Jasmin: Ich werde zu Hause bleiben. Ich werde lange schlafen und faulenzen! Und ich werde mit Alexander ins Schwimmbad gehen – jeden Tag!

Atalay: Und was machst du, Annika?

Annika: Ich? Ich werde eine Radtour machen – nach Bayern! Und ich werde meinen Cousin in Berlin besuchen.

Ende!

3 Wer macht was? Kopiere die Tabelle und kreuz die passenden Namen an.

	Jasmin	Annika	Atalay	Sven
1 Ich werde nach Berlin fahren.				
2 Ich werde in Wesel bleiben.				
3 Ich werde nach Chemnitz fahren.				
4 Ich werde mit dem Rad nach Bayern fahren.				
5 Ich werde Skateboardfahren lernen.				
6 Ich werde jeden Tag ins Schwimmbad gehen.				

Was machst du in den Sommerferien?

You will learn how to ...

✓ ask others about their plans for the holidays: *Was machst du in den Sommerferien?*

✓ talk about your plans for the holidays: *Ich werde meine Brieffreundin besuchen.*
   Wir werden einen Ausflug machen.

✓ talk about other people's plans for the holidays: *Sie werden Disneyworld besuchen.*
   Mein Bruder wird nach Amerika fahren.

1a Lies die Texte.

Was machst du in den Sommerferien?

Ich werde Urlaub in Norddeutschland machen. Das heißt: Ich werde eine Radtour machen – mit meinem Vater. Ich habe zum Geburtstag ein neues Rad bekommen – es ist ideal für eine Radtour! Wir werden von Flensburg nach Kiel fahren. Das sind 200 Kilometer und ich kann 30 Kilometer pro Tag fahren. Ich freue mich schon sehr!
Mark (15)

Ich werde Urlaub in Frankreich machen – ich werde nach Nizza fliegen. Dort werde ich meine Brieffreundin Beatrice besuchen. Beatrice ist sehr nett. Wir werden viel faulenzen and lange schlafen – das Schuljahr war sehr anstrengend! Aber wir wollen nicht nur faulenzen: Wir werden auch einen Ausflug nach Monaco machen und wir werden in ein Popkonzert gehen.
Anne (16)

Ich werde im Sommer zu Hause bleiben – hier in Potsdam. Ich habe kein Geld, weil ich für einen Computer spare. Aber mein Bruder wird nach Amerika fahren! Er wird mit seiner Schulklasse fahren! Sie werden Disneyworld besuchen. Sie werden auch nach New York fahren – dort werden sie viele Sehenswürdigkeiten besichtigen. Aber nächstes Jahr wird mein Bruder zu Hause bleiben – und ich werde Urlaub machen!
Hannes (14)

1b Finde die passenden Futur-Sätze (Übung 1a) für die Bilder.

Beispiel: **a** *Ich werde eine Radtour machen.*

1c Was sind deine Traumsommerferien? **B** wählt fünf Bilder von Übung 1b, **A** fragt. Dann ist **B** dran.

Beispiel:
A *Was machst du in den Sommerferien?*
B *Ich werde viel faulenzen. Ich werde auch ...*

A B C ▶

Hilfe

Was machst du in den Sommerferien?

Ich werde/will	nach ... fahren/fliegen.
Er/sie wird/will	... besuchen.
Wir werden/wollen	Urlaub in ... /einen Ausflug
Sie werden/wollen	nach ... machen.
	eine Radtour machen.
	zu Hause bleiben.
	lange schlafen/faulenzen.
	ins Popkonzert/
	Schwimmbad gehen.
	Fußball spielen.

Grammatik
im Fokus *Futur + werden*

Ich **werde** nach Österreich **fahren**.
Du **wirst** zu Hause **bleiben**.
Er/sie **wird** ins Schwimmbad **gehen**.
Wir **werden** nach Schottland **fliegen**.
Ihr **werdet** eine Radtour **machen**.
Sie **werden** viel **faulenzen**.

2a Schreib deine Sätze von Übung 1b in vier Listen auf: *ich, er, wir* und *sie* (Plural).

Tipp □ Tipp □ Tipp

Lesen ... und verstehen!

□ Lies die Fragen genau und finde die wichtigen Wörter.

  1 Wo wird Uwe Urlaub machen?

□ Mach Notizen für die Antworten.

  1 Österreich

□ Schreib Sätze mit deinen Schlüsselwörtern.

  1 Er wird in Österreich Urlaub machen.

□ Welche Zeit- oder Verbform ist in den Fragen (z. B. Präsens, Modalverben usw.)? Nimm die gleiche Form für deine Antworten.

3 Lies noch einmal die Texte in Übung 1a und beantworte die Fragen.
  1 Wo werden Mark und sein Vater in den Sommerferien Urlaub machen?
  2 Wie viele Kilometer will Mark jeden Tag fahren?
  3 Wo in Frankreich wird Anne Urlaub machen?
  4 Warum will sie im Urlaub faulenzen?
  5 Was wird Hannes im Sommer machen?

2b Finde dann andere Futur-Sätze in den Texten von Übung 1a und schreib sie in die Listen. Wie viele kannst du finden?

2c Füll die Lücken aus.
  1 Wir _____ meine Oma besuchen.
  2 Ich _____ Fußball spielen.
  3 Susi _____ zu Hause bleiben.
  4 Du _____ nach Berlin fahren.
  5 Ich _____ lange schlafen.
  6 Wir _____ nach Irland fliegen.

D E

4 Du bist dran! Schreib einen Text (so wie in Übung 1a) mit den Informationen unten.

F

Gut gesagt!   ch, sch

5a 🔊 Hör gut zu und wiederhole.

besuchen	machen	Wochenende
schlafen	Schwimmbad	Schottland

5b 🔊 Hör gut zu und wiederhole.

Ich werde nach Frankreich fahren, Mascha wird nach Süddeutschland fliegen, Michi wird in die Schweiz fahren und Sascha wird nach Österreich fliegen!

Ich werde Hausaufgaben machen!

1a 🔊 Atalay will im neuen Schuljahr viel für die Schule tun.
Hör gut zu und finde die passenden Bilder für die Sätze.

Ich werde...
1. *jeden Tag Hausaufgaben machen!*
2. *mein Taschengeld für einen Computer sparen!*
3. *um 7 Uhr aufstehen!*
4. *um 21 Uhr ins Bett gehen!*
5. *mit meinen Freunden Englisch sprechen!*
6. *Briefe an meine Brieffreundin in England schreiben!*
7. *E-Mails an meinen Austauschschüler in Amerika schreiben!*

1b 👥 „Was werde ich für die Schule tun?"
B wählt Bilder für **A** (von Übung 1a), **A** antwortet. Dann ist **B** dran.

Beispiel:
A Also, was werde ich für die Schule tun?
B Bild e!
A Oh nein! Ich werde um 7 Uhr aufstehen!

Noch mal! Was willst du im neuen Schuljahr für die Schule tun? Schreib Sätze mit *Ich werde.* Benutze die Hilfe-Sätze rechts.

Extra! Erfinde weitere Sätze.

Beispiel:
Ich werde neue Wörter im Wörterbuch nachschauen.
Ich werde nachmittags nicht fernsehen.

Hilfe

Ich werde (jeden Tag) ...
... Hausaufgaben machen.
... um 7 Uhr aufstehen.
... um 20 Uhr ins Bett gehen.
... mit meinen Freunden Deutsch/Französisch sprechen.
... mein Taschengeld für einen Computer sparen.
... Briefe/E-Mails an ...
   meinen Brieffreund/Austauschschüler ...
   meine Brieffreundin/Austauschschülerin ...
   in Deutschland/England/Frankreich/Amerika schreiben.

2 [🔊] Hör gut zu und lies mit.

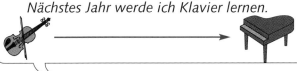

Dieses Jahr habe ich Geige gelernt.
Nächstes Jahr werde ich Klavier lernen.

Dieses Jahr habe ich einen Kochkurs gemacht.
Nächstes Jahr werde ich eine Theater-AG machen.

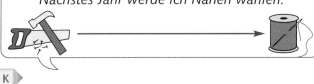

Dieses Jahr habe ich Werken gewählt.
Nächstes Jahr werde ich Nähen wählen.

K ▶

3 [🔊] Was haben sie dieses Jahr gemacht?
Was werden sie nächstes Jahr machen? Hör gut zu und finde die passenden Hilfe-Wörter.

Beispiel: *Atalay: dieses Jahr: Kochkurs*
nächstes Jahr: ...

L M ▶

Hilfe

Dieses Jahr habe ich ... gemacht/gewählt/gelernt.
Nächstes Jahr werde ich ... machen/wählen/lernen.
einen Computerkurs/einen Kochkurs
eine Theater-AG/eine Umwelt-AG
Basketball/Fußball/Tennis/Volleyball
Geige/Gitarre/Klavier
Nähen/Werken

4 👥 Was hast du dieses Jahr gemacht?
Was willst du nächstes Jahr machen?
Schreib einen Plan. Mach dann Dialoge mit deinem Partner/deiner Partnerin.

Beispiel:
A *Dieses Jahr habe ich Klavier gelernt. Nächstes Jahr werde ich Gitarre lernen. Und du?*
B *Dieses Jahr habe ich ...*

Grammatik im Fokus
Perfekt, Präsens und Futur

Präsens:	Ich **mache** Hausaufgaben.
	Ich **gehe** in die Disco.
Perfekt:	Ich **habe** Hausaufgaben **gemacht**.
	Ich **bin** in die Disco **gegangen**.
Futur:	Ich **werde** Hausaufgaben **machen**.
	Ich **werde** in die Disco **gehen**.

5 Lies Daniels E-Mail und finde vier Sätze im Perfekt, Präsens und Futur.

Nachricht

Hallo Ina!
Was hast du am Wochenende gemacht? Wir sind zum Schwimmbad im Park gefahren. Und nächstes Wochenende? Ich werde am Sonntag meine Schwester besuchen – sie wohnt in Köln. Ich mache auch viel für die Schule – ich mache jeden Tag Hausaufgaben! Gestern habe ich Mathe und Englisch gemacht und heute lerne ich Französich. Morgen werde ich Biologie machen. Biologie ist mein Lieblingsfach! Ich werde auch abends früh ins Bett gehen. Gestern habe ich bis um 22 Uhr ferngesehen. Danach bin ich ins Bett gegangen – um 22 Uhr 30! Und heute werde ich auch spät ins Bett gehen – ich werde mit Kathi in die neue Disco am Bahnhof gehen!

N ▶

6a Was hat Hanna letzte Woche gemacht?
Schreib einen Brief – im Perfekt.

Beispiel:
Ich habe um 7 Uhr Müsli gegessen.

Ich esse um 7 Uhr Müsli.
Ich fahre mit dem Bus zur Schule.
Ich lerne Deutsch, Mathe und Geschichte.
Ich esse Pizza und ich trinke Cola.
Ich mache nachmittags Hausaufgaben.
Ich gehe um 22 Uhr ins Bett.

146 ▶
149 ▶
151 ▶

6b Was wird Hanna nächste Woche machen? Schreib Sätze im Futur.

O ▶

Berufe

You will learn how to ...

✓ say what jobs your parents do: *Mein Vater ist Kellner. Meine Mutter ist Sekretärin.*

✓ ask what someone else's parents do: *Was ist dein Vater/deine Mutter von Beruf?*

✓ talk about your future job plans: *Ich möchte Informatiker werden. Ich möchte Krankenschwester werden.*

1a 🔊 Was ist dein Vater/deine Mutter von Beruf? Hör gut zu und finde die richtige Reihenfolge für die Bilder.

Kellner/Kellnerin

Sekretär/Sekretärin

Krankenpfleger/Krankenschwester

Hausmann/Hausfrau

Lehrer/Lehrerin

Postbote/Postbotin

Polizist/Polizistin

Arzt/Ärztin

Grammatik im Fokus   Berufe

Maskulinum	Femininum
Polizist	Polizist**in** (+in)
Arzt	**Ä**rzt**in** (Ä+in)
Hausmann	Haus**frau**
Krankenpfleger	Kranken**schwester**

Mein Vater ist* Polizist.
My father is a policeman.

Meine Mutter ist* Hausfrau.
My mother is a housewife.   *no article

1b 👥 A zeigt auf ein Bild und fragt: „Was ist dein Vater/deine Mutter von Beruf?", B antwortet. Dann ist B dran.

Beispiel:
A (zeigt auf Polizistin) *Was ist dein Vater von Beruf?*
B *Mein Vater ist Polizist.*

P

141

2a Lies die Berufe und schreib die passenden Maskulinum- oder Femininum-Formen für die Wörter auf.

Beispiel: 1 Tierärztin

Tierarzt

Verkäuferin

Informatikerin

Mechaniker

Geschäftsfrau

LKW-Fahrerin

Büroarbeiter

Feuerwehrmann

2b 📼 Ist alles richtig? Hör gut zu.

Q ▶

3 👥 A „spielt" einen Beruf von Übung 2a und sagt: „Mein Vater/meine Mutter ist ...", B rät den Beruf. Dann ist B dran.

Beispiel:
A (spielt Tierarzt) *Mein Vater ist ...*
B *Mein Vater ist Tierarzt!*

4 📼 Was sind Jasmins, Annikas und Atalays Pläne für die Zukunft? Hör gut zu und lies mit.

Ich möchte Tierärztin werden.

Ich möchte Informatiker werden!

Ich möchte Polizistin werden.

Grammatik im Fokus *Ich möchte ... werden.*

If you want to say what you would like (to have or buy), you use *Ich möchte*:

Ich möchte ein Eis. **Ich möchte** dieses T-Shirt.

If you want to talk about what you would like to **become**, you use *Ich möchte* plus *werden* at the end of the sentence:

Ich **möchte** Lehrerin **werden**.
Was **möchtest** du später **werden**?
Tom **möchte** Polizist **werden**.

5a 👥 Was möchtest du später werden? A und B wählen Bilder von Übung 1a und 2a. A fragt, B antwortet.

Beispiel:
A *Was möchtest du später werden?*
B *Ich möchte LKW-Fahrerin werden!*

5b 👥 Mach eine Umfrage. Frag: „Was möchtest du später werden?" und schreib die Resultate auf (z. B. mit dem Computer).

Beispiel:

```
„Ich möchte gern Lehrer/
Lehrerin werden."
(4 Schüler/6 Schülerinnen)
```

148 ▶

R S ▶

Ich möchte gern Popstar werden!

You will learn how to …

✓ talk about what you would like to do in the future: *Ich möchte gern ein Auto haben. Ich möchte später um die Welt reisen.*

1a 🔊 Was möchte Sven später gern machen? Hör gut zu und finde die passende Reihenfolge für die Sätze.

> Ich möchte später gern …
>
> 1 Filmstar werden.
>
> 2 jeden Tag im Restaurant essen.
>
> 3 jedes Wochenende eine Party machen.
>
> 4 eine große Wohnung kaufen.
>
> 5 ein schönes Auto haben.
>
> 6 viele Geschenke für meine Freunde kaufen.

1b 👥 Was möchtest du später gern machen? **A** fragt, **B** wählt einen Satz von Übung 1a. Dann ist **B** dran.

Beispiel:
A Was möchtest du später gern machen?
B Ich möchte Filmstar werden!

T ▶

2a 🔊 Was möchte Tom später gern machen? Hör gut zu und lies mit.

2b Nimm den Cartoon auf Kassette auf.

U ▶

3a Lies den Artikel und beantworte die Fragen in Sätzen.

Das Jugendmagazin fragt:

„Was möchtest du später gern machen?"

Ich möchte später gern ein Kino kaufen – für meine Lieblingsfilme. Und ich möchte später gern viel Geld verdienen. Ich möchte am liebsten Popstar werden – oder Geschäftsfrau! Ich möchte auch viele Geschenke für meine Familie kaufen: einen Fernseher für meine Mutter, ein Auto für meinen Vater ... Ich möchte auch ein schönes Haus haben – ein Haus mit Garten, Balkon und Schwimmbad. Ja, und ich möchte jeden Tag im Fastfood-Restaurant essen: montags Hamburger mit Pommes frites, dienstags Currywurst ... Ich möchte auch gern nach New York fahren – am liebsten jedes Wochenende!
Maja (15) aus Hamburg

1 Was möchte Maja kaufen?

2 Was möchte sie gern werden?

3 Was möchte sie später gern haben?

4 Wo möchte sie essen?

5 Was möchte sie dort gern essen?

6 Wohin möchte sie später gern fahren?

Wiederholung *ich möchte ...*

Ich **möchte** ein Auto **haben**.
Du **möchtest** Filmstar **werden**.
Er/sie **möchte** Geschenke **kaufen**.

148 ▶

3b Schreib einen Artikel an das Jugendmagazin mit den Informationen unten.

Beispiel:
Ich möchte eine schöne Wohnung haben.

Tipp ◦ Tipp ◦ Tipp

Lange Texte aufnehmen

Bereite dich gut auf die Aufnahme vor!

Vor dem Aufnehmen:

☐ Was willst du sagen? Mach Notizen und schreib die Schlüsselwörter auf.
☐ Übe deine Aufnahme oft! Sprich deinen Text:
 – vor dem Spiegel
 – vor deinem Partner/deiner Partnerin
 – vor deinem Lehrer/deiner Lehrerin

Beim Aufnehmen:

☐ Konzentriere dich gut.
☐ Sprich deutlich, freundlich und interessiert.

Nach dem Aufnehmen:

☐ Hör deine Aufnahme gut an – ist alles richtig?

4 Du bist dran! Ein deutscher Radiosender für Jugendliche fragt: „Was möchtest du später gern machen?" Schreib einen Text und nimm alles auf Kassette auf.

Thema im Fokus

Spiel mit 👥 und 🎲.

Hast du eine ⚅? Du beginnst.

Ist deine Antwort falsch?
Du gehst zwei Felder zurück.

Fragen

Was machst du in den Sommerferien?

Was willst du im neuen Schuljahr für die Schule tun?

Was möchtest du werden?

Was möchtest du später gern machen?

1 Macht weitere Spiele!

a Findet 4 Fragen-Themen (so wie die Fragen im Spiel auf Seite 118) und schreibt sie auf (z. B. mit dem Computer).

> **1 Was hast du letztes Wochenende gemacht?**
>
> **2 Was machst du dieses Wochenende?**
>
> **3 Was ist dein Vater/deine Mutter von Beruf?**
>
> **4 Was möchtest du in den Sommerferien machen?**

b Findet 6 Antworten für jedes Fragen-Thema und schreibt sie auf (z. B. mit dem Computer).

Beispiel:

1 – ins Schwimmbad gegangen; nach London gefahren; ein Picknick gemacht; ...

c Findet oder zeichnet Bilder für die Antworten (z. B. mit dem Computer).

d Macht das Spiel: Zeichnet die Felder in ■, ▢, ▢ und ▢ (z. B. mit dem Computer) und klebt die Bilder auf.

e Schreibt die Fragen mit den passenden Farben auf, so wie auf Seite 118.

f Tauscht das Spiel mit einer anderen Gruppe (deine Gruppe nimmt das andere Spiel, die andere Gruppe nimmt euer Spiel) – und los geht's! Viel Spaß!

Kannst du ... ?

✓ fragen und sagen:	*Was machst du in den Sommerferien? Ich werde meine Brieffreundin besuchen. Wir werden einen Ausflug machen.*
✓ sagen:	*Sie werden Disneyworld besuchen. Mein Bruder wird nach Amerika fahren.*
✓ sagen:	*Ich werde jeden Tag Hausaufgaben machen. Ich werde mit meinen Freunden Deutsch sprechen.*
✓ sagen:	*Dieses Jahr habe ich einen Kochkurs gemacht. Nächstes Jahr werde ich eine Theater-AG wählen.*
✓ fragen und sagen:	*Was ist dein Vater/deine Mutter von Beruf? Mein Vater ist Kellner. Meine Mutter ist Sekretärin.*
✓ sagen:	*Ich möchte Informatiker werden. Ich möchte Krankenschwester werden.*
✓ sagen:	*Ich möchte gern ein Auto haben. Ich möchte später um die Welt reisen.*

Und Grammatik im Fokus ... ?

✓ Futur + *werden*	*Ich werde zu Hause bleiben. Du wirst ins Schwimmbad gehen. Er/sie wird nach Schottland fliegen. Wir werden faulenzen.*
✓ Berufe	*Polizist/Polizistin/Arzt/Ärztin/Hausmann/Hausfrau ...*
✓ *Ich möchte ... werden*	*Ich möchte Lehrerin werden. Tom möchte Polizist werden.*

Wiederholung

1a 🔊 Andi wohnt in der Stadt. Warum wohnt er gern in der Stadt – und warum wohnt er nicht gern dort? Hör gut zu und mach Notizen.

Beispiel:
gern: nie langweilig, ...
nicht gern: zu viele Autos, ...

1b Was sagt Andi? Schreib eine Zusammenfassung mit deinen Notizen von Übung 1a.

Beispiel: Ich wohne gern in der Stadt, weil es nie langweilig ist und ...

2a Lies die Wörter. Was ist umweltfeindlich? Finde sieben Wörter und schreib eine Liste.

> Erde **Fabriken** Kraftwerke Lärm Luft
> Menschen Pestizide Tiere **Wald** Wasser
> Müll **Pflanzen** Verkehr Zigaretten

2b 👥 Lies die Wörter auf deiner Liste (Übung 2a). Was glaubst du – was ist das größte Problem für die Umwelt? Macht Dialoge.

Beispiel:
A Was ist das größte Problem für die Umwelt?
B Ich finde, ... ist das größte Problem! Und du?

3 🔊 Andi macht ein Picknick – aber viele Freunde und Freundinnen kommen nicht! Was haben sie – und seit wann? Hör gut zu und mach Notizen.

Beispiel:

> Telefonnachricht
>
> Wer: ..Vera........................
> Probleme: .Grippe, Kopfschmerzen, Hals tut weh.
> Seit wann: ...seit ....
> Er/sie muss: ....

4a Tipps für die Gesundheit – finde die passenden Sätze für die Bilder.

4b Schreib die passenden Infinitive für die Imperative in Übung 4a auf.

Beispiel: a *Mach – machen*

4c 🧑‍🤝‍🧑 Was soll man für die Gesundheit tun? **A** wählt ein Bild von Übung 4a, **B** antwortet mit *Man soll* ... Dann ist **B** dran.

Beispiel:
A Bild 2!
B Man soll kein Fastfood essen.

4d Lies noch einmal die Sätze in Übung 4a – das willst du alles im neuen Jahr für die Gesundheit tun! Schreib Sätze für dein Tagebuch mit *Ich werde* ...

Beispiel: Ich werde viel Sport machen.

5a Michael sucht einen Brieffreund/eine Brieffreundin. Lies seine E-Mail und beantworte die Fragen.

> **Nachricht**
>
> Ich heiße Michael Sauer und ich bin 15 Jahre alt. Ich wohne in einem kleinen Dorf in Österreich – es heißt Huben. Ich wohne gern hier, weil es viel Natur und viele Tiere gibt. Aber ich wohne nicht gern auf dem Land, weil es ziemlich langweilig ist – es gibt keine Disco, kein Kino, kein Schwimmbad ...
>
> Ich bin ziemlich fit und ich mache viel für meine Gesundheit – ich gehe jeden Tag zu Fuß zur Schule und mein Lieblingshobby ist Sport: Ich spiele jeden Tag Tennis und ich fahre im Sommer Skateboard und im Winter Ski. Und ich bin Vegetarier.
>
> Meine Schule heißt ,Erich Kästner-Gymnasium'. Nächstes Jahr werde ich in die 8. Klasse gehen – und ich werde viel für die Schule tun: Ich werde jeden Tag Hausaufgaben machen und ich werde mein Taschengeld für einen Computer sparen!
>
> Ich möchte später gern Geschäftsmann werden: Ich möchte viel Geld verdienen und ich möchte auch im Ausland arbeiten.

1 Warum wohnt Michael gern auf dem Land?
2 Warum wohnt er nicht gern in Huben?
3 Was macht er für seine Gesundheit?
4 Was wird er nächstes Jahr für die Schule tun?
5 Was möchte er gern werden?
6 Was möchte er später auch machen?

5b Du bist dran! Schreib eine Antwort-E-Mail an Michael. (Tipp: Beantworte alle Fragen in Übung 5a für dich!)

1 Noch mal!

1a 🔊 Wo war Klara in den Ferien? Was hat sie gemacht? Hör gut zu und finde die passenden Bilder.

1b 👥 Ist alles richtig? **A** wählt ein Bild, **B** antwortet. Dann ist **B** dran.

Beispiel:
A Bild a – was hast du gemacht?
B Ich bin ins Schwimmbad gegangen.
A Richtig!

2a Lies die E-Mail. Finde:
- ☐ sechs Perfekt-Sätze mit *haben*
- ☐ drei Perfekt-Sätze mit *sein*
- ☐ vier Imperfekt-Sätze

Nachricht

Liebe Lisa,
wohin bist du im Sommer gefahren?
Nach Frankreich? Ich bin nach Schottland geflogen, nach Aberdeen. Ich habe in einer Jugendherberge gewohnt. Die Jugendherberge war sehr alt und sie war sehr laut! Ich habe viel in Aberdeen gemacht: Ich habe die Stadt besichtigt und ich bin ins Museum gegangen. Ich habe auch meine Brieffreundin besucht – sie wohnt in Dundee. Wir haben Haggis gegessen – lecker! Das Wetter war aber nicht schön: Es hat viel geregnet und es war ziemlich kalt.

Deine Vera

2b Lies die E-Mail noch einmal. Lies dann Veras Sätze und finde die passenden Bilder.

1 Ich war in ...

 a    b

 a    b

 a    b

4 Ich habe ...

 a    b

5 Das Wetter war ...

 a    b

2c Du bist dran! Schreib eine E-Mail mit den anderen Bildern von Übung 2b.

Beispiel:

Nachricht

Ich war in Frankreich ...

1 Extra!

1 Lies Millis Tagebuch. Schreib dann einen Brief für sie im Perfekt/Imperfekt: Wohin ist sie gefahren? Was hat sie gemacht? Wie war das Wetter? usw.

Freitag	Samstag
Ich fahre mit dem Bus nach Paris. Das Wetter ist sehr schlecht: Es ist windig und es ist sehr neblig. Ich wohne bei einer Gastfamilie – sie heißt Familie Dupont. Mein Zimmer ist klein, aber schön.	Ich esse Croissants und ich trinke Kaffee. Ich gehe in die Stadt und ich kaufe Postkarten und Souvenirs. Wir fahren auch zum EuroDisney-Freizeitpark – super!

2a [cassette] Thorstens Brieffreund schreibt eine E-Mail. Hier sind seine Fragen. Thorsten schreibt einen Antwortbrief. Hör gut zu und beantworte die Fragen für Thorsten. (Schreib Sätze.)

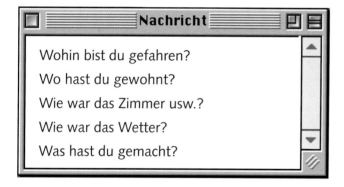

Nachricht

Wohin bist du gefahren?

Wo hast du gewohnt?

Wie war das Zimmer usw.?

Wie war das Wetter?

Was hast du gemacht?

2b Du bist dran! Eine Radiosendung in Deutschland macht eine Umfrage. Das Thema ist ‚Ferien'. Schreib einen Artikel über deine Sommerferien.

www.

VIVA-Radioumfrage
Ferien, Ferien!
Wohin bist du gefahren?
Was hast du gemacht?
Wie war das alles?
Bitte schreib uns über deine Ferien!

2c [people icon] A ist Radioreporter und fragt, B antwortet. Dann ist B dran. Macht eine Kassette.

Beispiel:
A Wohin bist du im Sommer gefahren?
B Ich bin im Sommer nach Wales gefahren.
B Was hast du gemacht?
A Ich habe viele Sehenswürdigkeiten besichtigt. Ich habe auch ...

2d Wo war dein Partner/deine Partnerin in den Ferien? Schreib einen Artikel mit den Informationen von Übung 2c.

Beispiel:

Thomas ist im Sommer nach Wales gefahren. Er hat viele Sehenswürdigkeiten besichtigt. Er hat auch Souvenirs gekauft und er hat jeden Tag Hamburger gegessen. Er hat in einer Jugendherberge gewohnt. Die Jugendherberge war sehr laut! Das Wetter war sehr gut: Es hat nie geregnet und es war immer sonnig.

Noch mal!

1 📻 Hör gut zu und finde die richtige Reihenfolge für die Bilder.

2 👥 Gedächtnisspiel: Der Alltag.
A beginnt, dann ist **B** dran.

Beispiel:
A *Ich stehe auf.*
B *Ich stehe auf und ich wasche mich.*
A *Ich stehe auf, ich wasche mich und ich frühstücke.*

3 Lies den Brief von Anja und füll die Lücken aus.

meinen	meinen	ein	meiner	einen
meinem	eine	meiner	eine	meinen

Lieber David!

Für .... Geburtstag bekomme ich
10 Euro von .... Großeltern. Das sind
5 Euro von .... Oma und 5 Euro
von .... Opa. Ich bekomme auch
8 Euro von .... Tante und 20 Euro
von .... Eltern. Was mache ich damit?
Also, ich spare für .... Computer und
auch .... Stereoanlage. Ich habe schon
250 Euro! Aber ich kaufe auch ....
Buch und .... Jeans.

Bis bald!
Anja

4 👥 Macht Dialoge. **A** wählt und **B** antwortet. Dann ist **B** dran.

Beispiel:
A *B3!*
B *Ich bekomme pro Monat 11 Euros und ich kaufe Kleidung und Schokolade.*

Ich bekomme…

Ich kaufe…

2 Extra!

1a Lies den Text. Was sagt Katrin? Sind die Sätze richtig oder falsch?

1 Ich helfe nie im Garten.

2 Ich bekomme viel Geld von meinem Opa.

3 Mein Onkel hat ein Auto.

4 Ich wasche nicht gern Autos.

5 Ich helfe nie zu Hause.

6 Ich bekomme kein Geld von meiner Mutter.

7 Ich habe keine Haustiere.

8 Ich mag Tiere nicht.

9 Ich habe einen Nebenjob.

10 Am 17. Oktober kaufe ich einen Pullover.

```
         Ich spare für einen
         Pullover.

         Hier ist mein Plan!

Der Pullover kostet 40 Euro.

 4. Oktober   Ich helfe im Garten und
              bekomme 3 Euro von meinem Opa.
 8. Oktober   Ich wasche das Auto für
              meinen Onkel. Nur 5 Euro.
              Das macht keinen Spaß!
11. Oktober   Ich helfe zu Hause. Meine
              Mutter mag das und ich
              bekomme 8 Euro!
12. Oktober   Ich räume mein Zimmer auf und
              ich bekomme 10 Euro von
              meinen Eltern.
16. Oktober   Ich führe meinen Hund aus.
              Das mag ich sehr gern. Und ich
              bekomme 4 Euro!
17. Oktober   Ich trage Zeitungen aus. Das
              finde ich anstrengend, aber
              ich verdiene 10 Euro.

3 + 5 + 8 + 10 + 4 + 10 = 40 Euro!

Toll – ich kaufe einen Pullover!
```

1b Wofür sparst du? Schreib einen Plan wie Katrin.

2a 📼 Atalay sucht einen Nebenjob. Hör gut zu und beantworte die Fragen.

1 Wo ist der Nebenjob?

2 Ist der Nebenjob für Jungen oder Mädchen?

3 Für wie viele Stunden pro Tag ist der Nebenjob?

4 Wie viel Geld verdient man pro Woche?

5 Ist der Nebenjob am Wochenende?

6 Wer hat den Zeitungskiosk?

7 Was schreibt Atalay in seinem Brief? (3 Informationen)

2b Schreib eine Anzeige für einen Nebenjob. Nimm die Anzeige auf Kassette auf. Sag:

☐ Wo ist der Nebenjob?

☐ Für wen ist der Nebenjob?

☐ Für wie lange und an welchen Tagen ist der Job?

☐ Wie viel Geld verdient man?

1 Lies die Beschreibungen. Wer ist das? Finde die passenden Bilder.

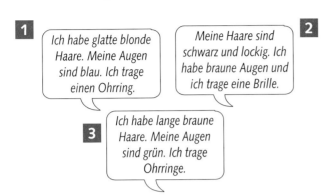

1 *Ich habe glatte blonde Haare. Meine Augen sind blau. Ich trage einen Ohrring.*

2 *Meine Haare sind schwarz und lockig. Ich habe braune Augen und ich trage eine Brille.*

3 *Ich habe lange braune Haare. Meine Augen sind grün. Ich trage Ohrringe.*

a **b** **c**

Kai   Lara   Uwe

2a [▣] Wie sind Kathi und Matthias? Hör gut zu und finde die passenden Wörter.

Beispiel: Kathi: lieb, ...

> arrogant   gemein   schüchtern   ungeduldig
> frech   lustig
> launisch   lieb   nett   unfreundlich

2b 👥 Ratespiel: Wer ist das? A ist Kathi oder Matthias und sagt einen Satz, B rät. Dann ist B dran.

Beispiel:
A *Ich bin lieb.*
B *Du bist Kathi!*
A *Richtig!*

3 Finde die passenden Antworten.

1 Ich mag meine Eltern, weil sie ...
   a zu streng sind.
   b sehr lieb sind.

2 Wir verstehen uns nicht gut, weil sie ...
   a nie ungeduldig sind.
   b zu altmodisch sind.

3 Wir streiten uns, weil ...
   a ich zu viel fernsehe.
   b meine Mutter lustig ist.

4 Ich mag Susi nicht, weil sie ...
   a oft unfreundlich ist.
   b nie gemein ist.

5 Wir verstehen uns gut, weil Tom ...
   a nie sympathisch ist.
   b immer nett ist.

4 Ergänze die Sprechblasen.

1 *Ich muss ...*

2 *Ich muss ...*

3 *Ich darf keine ...*

4 *Ich muss ...*

5 *Ich darf nicht ...*

6 *Ich darf nicht ...*

1a 🔊 Hör gut zu und beantworte die Fragen in Sätzen.

  1 Wie alt ist Ina?
  2 Wie sieht sie aus?
  3 Wie ist sie?
  4 Wie alt ist Daniel?
  5 Wie sieht er aus?
  6 Wie ist er?

1b Beantworte die Fragen für deinen besten Freund/deine beste Freundin.

2 👥 Wie ist dein Vater/deine Mutter? Macht Dialoge mit *Wir verstehen uns (nicht) gut, weil …*

Beispiel:
A *Wir verstehen uns gut, weil mein Vater immer lustig ist.*
B *Wir verstehen uns nicht gut, weil meine Mutter oft ungeduldig ist.*

altmodisch · streng · lustig · lieb · unfreundlich · nett · ungeduldig

3a Was musst du zu Hause machen? Lies den Brief. Schreib dann einen Antwortbrief an Michael mit den Informationen unten.

> Mein Vater ist ziemlich nett, aber meine Mutter ist zu streng! Ich muss um 19 Uhr zu Hause sein. Das ist ungerecht! Und ich darf nicht in die Disco gehen. Ich muss jeden Abend lernen und ich darf keine Freunde einladen. Mein Lieblingshobby ist Computerspiele, aber ich darf keinen Computer kaufen. Das ist gemein, finde ich.
> Bis bald,
> Michael

3b Kathis Eltern sind super! Was darf Kathi alles machen? Schreib einen Brief an Michael.

Beispiel:

> Lieber Michael,
> meine Eltern sind sehr tolerant! Ich darf in die Disco gehen. Ich darf auch …

1a Was hat Tom gekauft? Schreib Sätze für ihn mit den Bildern rechts.

Beispiel: *Ich habe Hosen gekauft. Ich habe auch …*

1b Du bist dran! Was hast du am Wochenende gekauft? Schreib Sätze.

Beispiel: *Ich habe T-Shirts gekauft. Ich habe auch Schuhe gekauft.*

2a Was trägst du zur Schule? Finde die passenden Bilder.

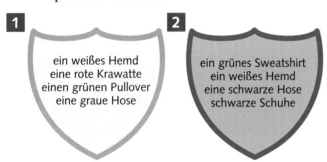

1
ein weißes Hemd
eine rote Krawatte
einen grünen Pullover
eine graue Hose

2
ein grünes Sweatshirt
ein weißes Hemd
eine schwarze Hose
schwarze Schuhe

3
eine weiße Bluse
einen grauen Rock
eine blaue Jacke
braune Schuhe

4
ein rotes Sweatshirt
eine weiße Bluse
einen blauen Rock
eine schwarze
Strumpfhose

a   b   c   d

2b 🔊 Hör gut zu. Was tragen Hannah und Martin zur Schule? Finde die passenden Bilder in Übung 2a.

2c 👥 Was trägst du zur Schule? **A** fragt, **B** wählt ein Bild von Übung 2a und antwortet. Dann ist **A** dran.

Beispiel:
A *Was trägst du zur Schule?*
B *Ich trage einen roten Rock, …*

3 🔊 Was tragen Karla, Olaf und Maja am liebsten / nicht gern? Wer sagt was? Hör gut zu und finde die passenden Sätze.

Beispiel: *Karla: 6, …*

1 Ich trage nicht gern Strumpfhosen.
2 Ich trage am liebsten Sweatshirts.
3 Ich trage nicht gern Jeans.
4 Ich trage am liebsten Hemden.
5 Ich trage nicht gern Krawatten.
6 Ich trage am liebsten Röcke.

4 Extra!

1 Finde die passenden Satzteile.

1	Welches	a	Kleid ist sehr schön.
2	Dieser	b	Hemd gefällt dir?
3	Diese	c	Pullover kostet 50 Euro?
4	Welcher	d	Rock ist altmodisch!
5	Welche	e	Bluse gefällt mir gut.
6	Dieses	f	Schuhe gefallen dir?

2a Schreib Sprechblasen für die Bilder.

Beispiel: a *Dieser Rock ist zu lang!*

2b ☺☺ Ist alles richtig? Macht Dialoge.

Beispiel:
A *Bild a – Dieser Rock ist zu kurz!*
B *Falsch! Dieser Rock ist zu lang!*

3a Lies Saras E-Mail und beantworte die Fragen in ganzen Sätzen.

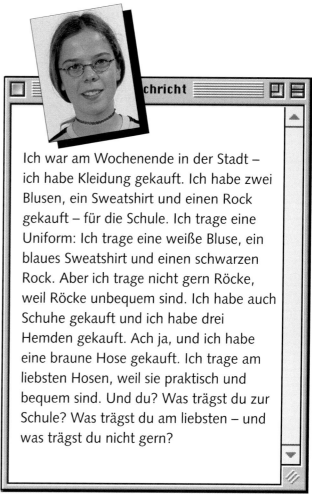

Ich war am Wochenende in der Stadt – ich habe Kleidung gekauft. Ich habe zwei Blusen, ein Sweatshirt und einen Rock gekauft – für die Schule. Ich trage eine Uniform: Ich trage eine weiße Bluse, ein blaues Sweatshirt und einen schwarzen Rock. Aber ich trage nicht gern Röcke, weil Röcke unbequem sind. Ich habe auch Schuhe gekauft und ich habe drei Hemden gekauft. Ach ja, und ich habe eine braune Hose gekauft. Ich trage am liebsten Hosen, weil sie praktisch und bequem sind. Und du? Was trägst du zur Schule? Was trägst du am liebsten – und was trägst du nicht gern?

1 Was hat Sara gekauft?
2 Was trägt Sara zur Schule?
3 Was trägt sie nicht gern?
4 Warum nicht?
5 Was trägt Sara am liebsten?
6 Warum?

3b Du bist dran! Schreib eine Antwort-E-Mail an Sara.

5 Noch mal!

1 👥 Wann hast du Geburtstag? Macht Dialoge.

Beispiel:
A *Wann hast du Geburtstag?*
B *Ich habe am ersten Juli Geburtstag.*

2 📼 Tina macht eine Party, aber fünf Gäste kommen nicht. Hör gut zu und finde die passenden Notizen.

a Wer: ....
Warum nicht: Zeitungen austragen

b Wer: ....
Warum nicht: zu Hause helfen

c Wer: ....
Warum nicht: Zimmer aufräumen

d Wer: ....
Warum nicht: im Garten arbeiten

e Wer: ....
Warum nicht: Hausaufgaben

3a Wo ist alles? Füll die Lücken aus.

| Luftballons | Schreibtisch | auf |
| im | neben | Kassettenrecorder |

1 Die Würstchen sind _____ dem Stuhl.
2 Die CDs sind unter dem _____ .
3 Der _____ ist auf dem Regal.
4 Der Apfelsaft ist _____ Schreibtisch.
5 Der Kartoffelsalat ist _____ der Lampe.
6 Die _____ sind unter dem Tisch.

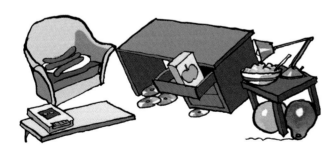

3b 👥 Ist alles richtig? Macht Dialoge.

Beispiel:
A *Die Würstchen sind neben dem Stuhl.*
B *Falsch! Die Würstchen sind auf dem Stuhl!*

4a Max hat Geburtstag. Was hat er gemacht? Finde die passenden Sätze.

1 Ich habe einen CD-Spieler ...
a bekommen. b gemacht. c getroffen.

2 Ich habe Annika ...
a gespielt. b getroffen. c getanzt.

3 Wir haben Hamburger ...
a getrunken. b gesehen. c gegessen.

4 Ich habe Gitarre ...
a gemacht. b gespielt. c gesehen.

5 Ich habe auch Limonade ...
a getroffen. b getrunken. c getanzt.

6 Ich habe mit Helene ...
a gemacht. b getanzt. c gesehen.

4b Du bist Max! Schreib einen Brief über deinen Geburtstag.

5 Extra!

1 Lies die Texte und finde die passenden Feste.

1 Wir feiern, weil morgen das neue Jahr beginnt! Wir machen eine Party mit Luftballons, Kartoffelsalat, Würstchen usw. Um Mitternacht gibt es ein Feuerwerk in der Stadtmitte und wir trinken Champagner.

2 Dieses Fest ist im April. Wir malen Eier an – in vielen Farben! Kinder finden das Fest toll, weil der Osterhase kleine Geschenke (Schokolade, Süßigkeiten usw.) bringt.

3 Dieses Fest ist ist im Winter und ich bekomme Geschenke. Dieses Fest ist schön, weil wir zu meinen Großeltern fahren. Und es gibt viel zu essen und zu trinken!

4 Ich mag dieses Fest sehr gern, weil es viel gutes Essen gibt. Wir tragen neue Kleidung und besuchen die Familie – es gibt auch Geschenke!

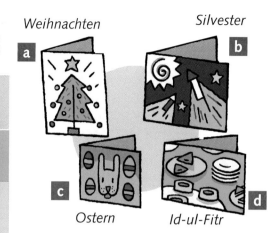

Weihnachten Silvester

Ostern Id-ul-Fitr

2a Sara, Andi und Bea machen Partys. Kopiere den Zettel dreimal. Hör dann gut zu und mach Notizen.

Nachricht

wer: ....

was: ....

wann: ....

wo: ....

2b Lies Toms E-Mail an Sara. Du bist dran! Schreib E-Mails an Andi und Bea so wie Tom.

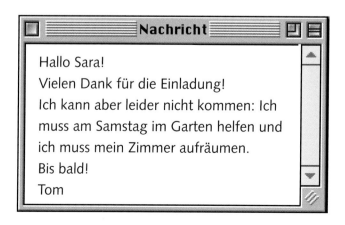

Nachricht

Hallo Sara!
Vielen Dank für die Einladung!
Ich kann aber leider nicht kommen: Ich muss am Samstag im Garten helfen und ich muss mein Zimmer aufräumen.
Bis bald!
Tom

2c Lies Saras Brief und finde die passenden Antworten.

Liebe Ines,
meine Geburtstagsparty war super! Ich habe ein Computerspiel von meinen Eltern bekommen und ich habe ein Buch bekommen – von meiner Freundin Kathi. Ich habe auch drei CDs und ein T-Shirt bekommen – und ein Stofftier! Die Party war in meinem Zimmer. Ich habe Pizza gemacht und wir haben Cola getrunken. Und ich habe mit Heiko getanzt – Heiko aus der 7R!! Martin hat Gitarre gespielt. Ach ja – und ich habe Anne getroffen. Sie ist sehr nett, finde ich.
Deine
Sara

1 Sara hat ...
  a keine Geschenke bekommen.
  b viele Geschenke bekommen.

2 Die Party war ...
  a zu Hause.   **b** nicht zu Hause.

3 Sie hat ...
  a Pizza gemacht.   **b** Pizza gekauft.

4 Heiko hat ...
  a mit Kathi getanzt.   **b** mit Sara getanzt.

5 Martin hat ...
  a Musik gemacht.   **b** mit Anne getanzt.

6 Sara ...
  a mag Anne nicht.   **b** mag Anne.

6 Noch mal!

1a [🎧] Karin ist mit ihrer Familie in Bonn. Was können sie machen? Hör gut zu und finde die richtige Reihenfolge für die Bilder.

Beispiel: e, …

1b 👥 Was kann man in Bonn machen? **A** fragt, **B** antwortet. Dann ist **B** dran.

Beispiel:
A *Was kann man in Bonn machen?*
B *Man kann ins Schwimmbad gehen.*

2a Lies den Text und finde das passende Bild.

> ## HILFE!
> Ich habe meinen Fotoapparat und meine Geldbörse verloren. Der Fotoapparat ist schwarz und silber. Er ist nur ein Jahr alt. Meine Geldbörse ist auch neu und aus Stoff und Leder. Sie ist lila und grau.
>
> Inge Meyer
> Tel. 0072 346 721

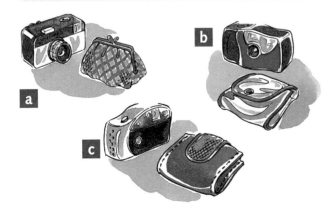

2b Was hast du verloren? Schreib eine Karte wie Inge für die zwei anderen Bilder.

3 Was braucht Tom? Schreib seine Einkaufsliste.

Beispiel:

> Ich brauche Seife.
> Ich habe kein Shampoo.

1a 👥 Deine deutsche Partnerschule besucht am Wochenende deine Stadt. Was kann man machen? Diskutiere mit einem Partner/einer Partnerin.

Beispiel:

A Wohin gehen wir am Samstag? Ins Kino oder ins Museum?

B Ins Museum ... Nein, ins Kino!

A Man kann auch ins Schwimmbad gehen.

B Prima. Wo treffen wir uns?

A Vor der Post oder am Bahnhof?

B Ähm ... am Bahnhof!

1b Schreib den Plan für einen Tag:

- ☐ Was kann man machen?
- ☐ Wo treffen wir uns?

Beispiel:

Samstag, den 22. Mai
Morgens: Man kann ins Kino gehen.
Wir treffen uns am Bahnhof.

2a 📼 Mark vom Mars muss in die Stadt gehen. Hör gut zu und schreib seine Einkaufsliste.

Beispiel: Seife, ...

2b Verena geht auch in die Stadt. Was braucht sie und wohin muss sie gehen? Schreib Sätze.

Beispiel: Ich brauche Shampoo. Ich muss zur Drogerie gehen.

3a Helena schreibt an das Fundbüro in Köln. Lies den Brief und beantworte die Fragen in Sätzen.

Montag, den 9. Mai

Sehr geehrte Damen und Herren,

ich war am Montag in der Stadt und ich habe meine Schultasche verloren. Haben Sie die Tasche? Ich habe die Schultasche im Park verloren. Ich war morgens im Park. Die Tasche ist blau und weiß und aus Stoff und Leder.

Mein Name ist Helena Ohletz und meine Adresse ist Hannoverstraße 46, 54000 Hagen.

Mit freundlichen Grüßen

H. Ohletz

H. Ohletz

1 Was hat Helena verloren?
2 Wann hat sie das verloren?
3 Wo hat sie das verloren?
4 Wie sieht das aus?
5 Wo wohnt Helena?

3b Schreib einen Brief an das Fundbüro.

- ☐ Was hast du verloren?
- ☐ Wann?
- ☐ Wo?
- ☐ Wie sieht das aus?
- ☐ Wo wohnst du?

1a Was gibt es in deiner Stadt? Finde die passenden Bilder für die Sätze.

1 schöne Gebäude
2 ein altes Hotel
3 ein neues Krankenhaus
4 eine Sparkasse
5 eine Tankstelle
6 einen tollen Zoo

1b 👥 B wählt drei Bilder, A fragt. Dann ist A dran.

Beispiel:
A Was gibt es in deiner Stadt?
B Es gibt ein neues Krankenhaus.

2a 📼 Meike und Stefan wohnen auf dem Land. Warum wohnen sie gern/nicht gern auf dem Land? Hör gut zu und mach Notizen.

Beispiel: Meike: viel Natur, ...

2b 👥 Warum wohnen Meike und Stefan gern/nicht gern auf dem Land? A fragt, B antwortet. Dann ist B dran.

Beispiel:
A Warum wohnt Meike gern auf dem Land?
B Es gibt hier viel Natur und es gibt ...

3a Lies die Website-Homepage der Jugend-Umweltgruppe ‚Grüne Jugend'.

3b Schreib Sätze für die Homepage-Seite 2 (mit den Informationen von Übung 3a).

Beispiel: Müll ist am schlimmsten.
... ist schlimmer als ...

4 👥 Was machst du für die Umwelt? Macht Dialoge.

Beispiel:
A Was machst du für die Umwelt?
B Ich kaufe Recyclingpapier. Und du?

7 Extra!

1 👥👥 Warum wohnst du gern/nicht gern in der Stadt? Macht Dialoge mit den Informationen.

Beispiel:

A Ich wohne gern in der Stadt, weil es viele Geschäfte gibt.

B Aber ich wohne nicht gern in der Stadt, weil ...

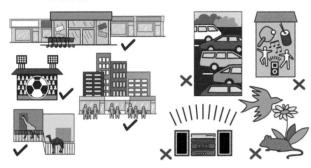

2a Lies Anjas Brief und beantworte die Fragen.

1 Wo wohnt Anja?
2 Warum wohnt sie gern hier?
3 Warum wohnt sie nicht gern hier?

Ich wohne in einem kleinen Dorf auf dem Land. Ich wohne gern hier, weil es keinen Verkehr gibt. Ich kann mit dem Rad fahren – das ist nicht gefährlich hier. Aber ich wohne nicht gern hier, weil es manchmal langweilig ist. Es gibt oft nichts zu tun! Es gibt hier keine Disco. Das ist nicht gut! Aber ich wohne lieber auf dem Land, weil es viel Natur gibt. Es gibt zum Beispiel einen schönen See – dort kann man im Sommer schwimmen. Aber im Winter wohne ich nicht gern hier, weil es kein Hallenbad gibt! Aber ich wohne lieber hier, weil es keinen Lärm gibt – auf dem Land ist es sehr ruhig.

2b Warum wohnst du lieber/nicht gern auf dem Land? Schreib einen Antwortbrief mit den Informationen unten.

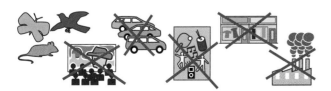

3a Finde die passenden Wörter für die Sätze.

Lärm	Pflanzen	Verkehr
Müll		Tiere	Wasser

1 Es ist kalt oder heiß. Hier kann man schwimmen – und man kann es auch trinken!

2 Sie sehen schön aus und haben viele Farben – und manchmal kann man sie auch essen.

3 Wir brauchen es nicht mehr: zum Beispiel Papier für Süßigkeiten, einen Becher Jogurt (ohne Jogurt!) ...

4 Sie wohnen in der Stadt und auf dem Land. Sie sind groß oder klein – aber sie sind keine Menschen!

5 Es gibt sie in der Stadt: Autos, Busse, U-Bahnen, Züge, Straßenbahnen ...

6 Es ist nie ruhig – es ist immer laut und man kann es immer hören.

3b 👥👥 A wählt ein Wort von Übung 3a und fragt: „Was ist das?", B sagt drei passende Wörter. Dann ist B dran.

Beispiel:

A Lärm – was ist das?

B Autos, Fernsehen und Verkehr – das ist Lärm.

4a 🔊 Was machen Annika und Sven für die Umwelt? Hör gut zu und mach Notizen.

Beispiel:

Annika: fährt nie mit dem Auto, fährt mit dem Rad, ...

4b Die Jugend-Umweltorganisation der Stadt Wesel hat eine neue Website – das Thema der Homepage ist: ‚Was tust du für die Umwelt?' Schreib mit deinen Notizen einen Artikel für Annika oder Sven.

Beispiel:

Ich mache sehr viel für die Umwelt: Ich fahre nie mit dem Auto – ich fahre ...

8 Noch mal!

1 🔊 Hör gut zu und finde die passenden Bilder.

2a Lies die Sätze. Was ist gut für die Gesundheit – und was ist nicht gut?

1 Ich esse jeden Tag Schokolade.
2 Meine Lieblingshobbys sind Tennis und Basketball.
3 Ich trinke Mineralwasser – Cola mag ich nicht.
4 Meine Hobbys sind Computerspiele und Fernsehen.
5 Ich esse mittags Hamburger und Pommes frites.
6 Ich gehe immer zu Fuß – zur Schule, in die Stadt ...

2b 👥 Welche Sätze sind nicht gut für die Gesundheit? Macht neue Sätze – jetzt sind sie gut für die Gesundheit!

Beispiel:
A Nummer 1: Ich esse jeden Tag Schokolade – das ist nicht gesund. Aber ich esse jeden Tag Obst – das ist gesund!
B Ja, und Nummer ...

3 Du bist sehr sportlich – was machst du seit wann/wie oft? Schreib Sätze mit den Informationen.

Beispiel:
a Ich spiele seit zwei Jahren Tennis.

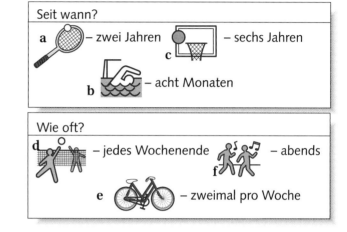

4a Sven will im neuen Jahr viel für seine Gesundheit tun. Lies seine Neujahrs-Sätze und finde die passenden Wörter.

1 Ich werde [viele/keine] Süßigkeiten essen.

2 Ich werde [nicht/jeden Tag] rauchen.

3 Ich werde [nie/viel] Sport treiben.

4 Ich werde [jeden Tag/kein] Fastfood essen.

5 Ich werde viel [Cola/Mineralwasser] trinken.

6 Ich werde [kein/viel] Obst essen.

4b 👥 A ist Frau Ungesund, B ist Herr Ungesund. Sie wollen nichts für ihre Gesundheit tun! Macht Dialoge mit den Sätzen in Übung 4a.

Beispiel:
A Ich werde viele Süßigkeiten essen.
B Und ich werde ...

8 Extra!

1 a 🔊 Hör gut zu. Was essen und trinken Tobias, Miriam und Heino? Mach Notizen für (F) Frühstück, (M) Mittagessen und (A) Abendessen.

Beispiel:

> Tobias: F – Müsli, Banane, ...

1 b Lies deine Notizen von Übung 1a. Welche Mahlzeiten sind sehr gesund, ziemlich/ manchmal gesund oder ungesund?

Beispiel:

> Tobias: Müsli mit Milch und
> Banane – sehr gesund!

1 c Welche Mahlzeiten sind ungesund? Schreib neue gesunde Mahlzeiten für Tobias, Miriam und Heino.

Beispiel:

> Mittagessen:
> Man soll keine Currywurst oder keinen Hamburger mit Pommes frites essen! Man soll Fisch mit Kartoffeln und Gemüse essen!

1 d 👥 Macht weitere Tipps für die Gesundheit.

Beispiel:

A Mein Tipp Nummer eins: Iss kein Fastfood, weil das ungesund ist!

B Ja, das stimmt! Und hier ist mein Tipp Nummer eins: ...

2 a Lies Annes E-Mail und beantworte die Fragen.

1 Was kann Anne heute nicht machen?
2 Was hat Anne seit wann?
3 Was fehlt ihr?
4 Was soll sie machen?
5 Was soll sie nicht machen – und warum nicht?
6 Was macht sie heute Abend?

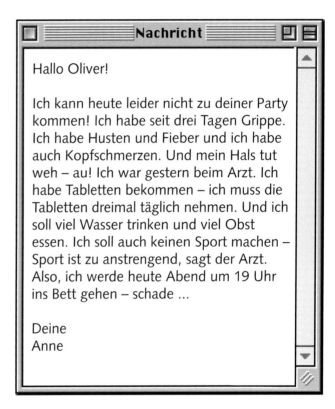

Nachricht

Hallo Oliver!

Ich kann heute leider nicht zu deiner Party kommen! Ich habe seit drei Tagen Grippe. Ich habe Husten und Fieber und ich habe auch Kopfschmerzen. Und mein Hals tut weh – au! Ich war gestern beim Arzt. Ich habe Tabletten bekommen – ich muss die Tabletten dreimal täglich nehmen. Und ich soll viel Wasser trinken und viel Obst essen. Ich soll auch keinen Sport machen – Sport ist zu anstrengend, sagt der Arzt. Also, ich werde heute Abend um 19 Uhr ins Bett gehen – schade ...

Deine
Anne

2 b Du bist dran! Schreib eine E-Mail so wie Anne mit den Informationen unten.

1 📷 Was machen sie in den Sommerferien? Hör gut zu und finde die passenden Bilder.

2 👥 Was ist dein Vater/deine Mutter von Beruf? Macht Dialoge.

Beispiel:
A Was ist dein Vater von Beruf?
B Mein Vater ist Polizist.
A Und was ist deine Mutter?
B Meine Mutter ist ...

3 Finde die passenden Wörter rechts für die Wörter links.

Ich möchte ...

1	eine Party	a	reisen.
2	im Ausland	b	tragen.
3	Designermode	c	werden.
4	Filmstar	d	kaufen.
5	um die Welt	f	arbeiten.
6	viele Geschenke	g	machen.

4a Kopiere Daniels Brief und füll die Lücken aus.

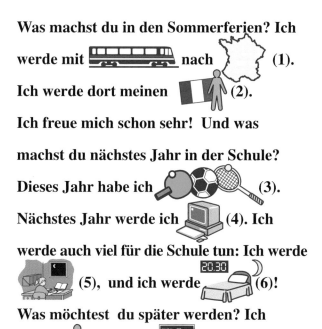

4b Schreib einen Antwortbrief an Daniel mit den Informationen unten.

9 Extra!

1a Lies die Texte und finde die passenden Berufe.

| a | b | c | d | e |

1
Magst du Tiere? Dann ist dieser Beruf ideal für dich! Man trägt eine weiße Uniform und man macht Tiere gesund: Hunde, Katzen, Fische, Pferde ...

2
Interessierst du dich für Computer? Kaufst du viele Computerspiele und Computerprogramme? Sitzt du gern den ganzen Tag am Schreibtisch? Dieser Beruf wird dir viel Spaß machen!

3
Bist du gut in Mathematik? Möchtest du gern in einem Restaurant oder in einem Café arbeiten? Interessierst du dich für Essen und Getränke? Wir haben den idealen Beruf für dich!

4
Du ...
... magst die Schule
... hast sehr viele Lieblingsfächer
... findest Hausaufgaben interessant und wichtig
... hast Kinder gern

Wir ...
... haben den idealen Beruf für dich!

5
Interessierst du dich für Autos? Bist du gut in Physik? Arbeitest du nicht gern in einem Büro oder an einem Schreibtisch? Dann ist dieser Beruf richtig für dich!

1b Was möchtest du gern werden – und warum? Wählt Berufe und macht Dialoge mit den Informationen von Übung 1a.

Beispiel:
A Was möchtest du werden?
B Ich möchte Tierarzt werden.
A Warum?
B Ich mag alle Tiere und ich möchte Tiere gesund machen. Und du? Was möchtest du werden?

2 Herr Hilflos hat im Lotto gewonnnen! Was möchte er machen? Schreib ein Tagebuch für Herrn Hilflos mit den Informationen.

Beispiel: Ich möchte gern ...

3a Carola beschreibt ihre Pläne für die Zukunft. Hör gut zu und mach Notizen.

Sommerferien:.................... Berufe:...........................
Schule:............................... möchte später gern:.............
....

3b Ein Jugendmagazin fragt: „Was sind deine Pläne für die Zukunft?" Schreib einen Artikel für Carola mit deinen Notizen von Übung 3a.

Beispiel: Was mache ich in den Sommerferien? Ich werde Urlaub in Österreich machen. Ich werde dort ...

3c Du bist dran! Macht eine Radioumfrage so wie in Übung 3a – A ist Reporter, B antwortet. Dann ist B dran.

Beispiel:
A Was machst du dieses Jahr in den Sommerferien?
B Ich werde nach ...

3d Schreib einen kurzen Artikel für deinen Partner/deine Partnerin mit den Antworten von Übung 3c.

Beispiel:
Daniel wird nach Amerika fliegen. ...

Grammatik

Introduction

All languages have grammatical patterns (sometimes called 'rules'). Knowing patterns of German grammar helps you understand how German works. It means you are in control of the language and can use it to say exactly what you want to say, rather than just learning set phrases.

Here is a summary of the main points of grammar covered in *Klasse! 2*, with some activities to check that you have understood and can use the language accurately.

Where you see this symbol 🆆⬛, use a dictionary to help you with the activity.

Glossary of terms

noun *das Nomen*
a person, animal, thing or place
Das Mädchen und der Hund essen gern Würstchen.

singular *der Singular*
one of something
Die Jacke ist sehr modern.

plural *der Plural*
more than one of something
Die Schüler essen mittags Brötchen.

pronoun *das Pronomen*
a short word used instead of a noun or a name
Er macht eine Party.
Sie machen eine Umwelt-Aktion.

verb *das Verb*
a 'doing' word
Ich spiele Fußball.
Daniel fährt nach Österreich.

subject *das Subjekt*
a person or thing 'doing' the verb
Ina geht in die Küche.
Ich finde Werken langweilig.
Die CD ist auf dem Stuhl.

object *das Objekt*
a person or thing affected by the verb
Ich kaufe eine Postkarte.
Meine Schwester trinkt Apfelsaft.
Ich habe einen Computer bekommen.

nominative case *der Nominativ*
used for the subject of a sentence
Die Limonade ist neben dem Computer.
Das T-Shirt ist sehr teuer.

accusative case *der Akkusativ*
used for the object of a sentence
Thomas kauft einen Computer.
Ich mag meine Mutter.

dative case *der Dativ*
used after some prepositions
Die Party ist im Garten.
Wir treffen uns an der Bushaltestelle.

adjective *ein Adjektiv*
a word describing a noun
Der Rock ist zu klein.
Ich trage einen roten Pullover.

preposition *eine Präposition*
a word describing position: where someone or something is
Der Kassettenrecorder ist auf dem Regal.
Ich wohne in der Stadt.
Die Würstchen sind neben der Lampe.
Wir treffen uns vor dem Bahnhof.

1 Nouns *Nomen*

Nouns are the words we use to name people, animals, things or places. In English, they often have a small word in front of them (*the*, *a*, *this*, *my*, *his*, etc.). In German, all nouns start with a capital letter.

1.1 Masculine, feminine or neuter?
All German nouns are either masculine, feminine or neuter.

	masculine	feminine	neuter
the	der Rock	die Mütze	das Hemd
a/an	ein Rock	eine Mütze	ein Hemd

1.2 Singular or plural?
Most English nouns add *-s* to make them plural:

the skateboard ➡ the skateboard**s**

the doctor ➡ the doctor**s**

German nouns form their plural endings in lots of different ways, although the plural word for *the* is always *die*, whatever the noun's gender:

das Stofftier	➡	*die Stofftier**e***
die Hose	➡	*die Hose**n***
das T-Shirt	➡	*die T-Shirt**s***
der Rucksack	➡	*die Ruck**säck**e*
das Buch	➡	*die B**üch**er*
der Pullover	➡	*die Pullover*

Important! Each time you learn a new noun, try to learn its plural too.

Don't learn:	der Rock	✗
Learn:	der Rock; die Röcke	✔

1.3 Talking about jobs
In German, the names of jobs are different for men and women:

a mechanic	*ein Mechaniker*
	eine Mechanikerin
a doctor	*ein Arzt*
	eine Ärztin
a businessperson	*ein Geschäftsmann*
	eine Geschäftsfrau

When you say what job you or someone else does or wants to do, you use a noun **without** *der/die/das* or *ein/eine/ein* in front of it:

Er ist Informatiker.
He's **a** computer programmer.

Ich möchte Lehrerin werden.
I'd like to be **a** teacher.

A Was ist dein Vater/deine Mutter? Schreib Sätze auf Deutsch.

2 Cases *die Fälle*

Cases indicate the part a noun plays in a sentence. Three different cases are used in *Klasse! 2*: nominative, accusative and dative.

2.1 Nominative and accusative
The **nominative case** is used for the **subject** of a sentence. The subject is the person or thing 'doing' the verb (the action):

subject	verb
Der Hund	*spielt.*
Die Schülerin	*fährt Rad.*

The **accusative case** is used for the **object** of a sentence. The object is the person or thing having the the action of the verb done to them:

subject	verb	object
Ich	*habe*	***einen Computer.***
Katja	*hat*	***eine Schwester.***
Tom	*kauft*	***ein Buch.***

Note that only the masculine forms are actually different from the nominative case.

2.2 Dative

The dative case is used in various ways. In *Klasse! 2* you will come across it being used after certain prepositions (see section 3: Prepositions):

*Die CD ist unter **dem Stuhl.***

*Ich wohne in **einer Wohnsiedlung.***

*Treffen wir uns vor **dem Kino?***

*Die Limonade ist neben **den CDs.***

2.3 *mein, dein, sein, ihr* and *kein*

Some other words such as *my, your, his, her*, and *no/not any* also change their endings according to case:

*Sven hat **meinen** Bleistift.*	Sven has **my** pencil.
*Wohnst du mit **deiner** Oma?*	Do you live with **your** grandmother?
*Ich mag **seinen** Bruder!*	I like **his** brother!
*Sie fährt mit **ihrem** Bruder nach Spanien.*	She's going to Spain with **her** brother.
*Rainer kauft **keinen** Computer.*	Rainer does **not** buy **a** computer.

2.4 Summary

Here are all the case endings used in *Klasse! 2*:

der/die/das/die

	masculine	feminine	neuter	plural
nominative	der	die	das	die
accusative	den	die	das	die
dative	dem	der	dem	den

ein/eine/ein

	masculine	feminine	neuter	plural
nominative	ein	eine	ein	-
accusative	einen	eine	ein	-
dative	einem	einer	einem	-

mein; dein; sein; ihr; kein

These all follow the same pattern:

	masculine	feminine	neuter	plural
nominative	mein	meine	mein	meine
accusative	meinen	meine	mein	meine
dative	meinem	meiner	meinem	meinen

3 Prepositions *Präpositionen*

Prepositions are little words like *in, on, at*, etc. which tell you the position of someone or something:

*Kathi ist **in** der Küche.*	Kathi is **in** the kitchen.
*Die CDs sind **unter** dem Stuhl.*	The CDs are **under** the chair.

Here is a list of all the prepositions used in *Klasse! 2*:

an	at	*mit*	with, by (*transport*)
auf	on, on top of		
aus	from	*nach*	after
bei	with, at the home of	*neben*	next to
		unter	under
für	for	*seit*	since
hinter	behind	*von*	from
in	in, into	*vor*	in front of
		zu	to

Most prepositions are followed by the accusative or dative case (see section 2.4 for all the endings you will need to use after these prepositions):

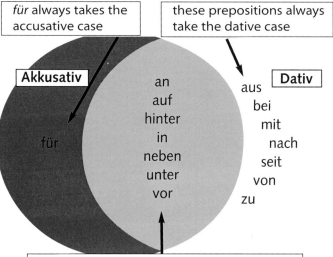

für always takes the accusative case

these prepositions always take the dative case

Akkusativ

für

an
auf
hinter
in
neben
unter
vor

Dativ

aus
bei
mit
nach
seit
von
zu

these prepositions take the dative or the accusative case depending on the context*

* In *Klasse! 2* you will only come across *an, auf, neben, unter*, and *vor* used with the dative case (*Das Buch ist auf dem Tisch. Treffen wir uns vor der Disco?*) However, like *in*, these prepositions can sometimes take the accusative if they are used to express movement (*Geh unter die Brücke ... Go under the bridge ...*) You'll come across them used in this way in *Klasse! 3*.

A Füll die Lücken aus.

mit	nach	aus	von	zu	für

a Ich komme _____ Österreich.
b Kathi fährt _____ dem Rad zur Schule.
c Ich spare _____ einen Computer.
d Andi geht heute Abend _____ einem Konzert.
e Ich bekomme 30 Euro _____ meinen Eltern.
f Wir sind _____ Australien geflogen.

B Finde die passenden Wörter.

a Wir treffen uns [an den/an der] Bushaltestelle.
b Das Café ist neben [den/dem] Supermarkt.
c Treffen wir uns vor [dem/das] Kino?
d Die Bushaltestelle ist hinter [die/der] Post.
e Wir treffen uns [im/in das] Jugendzentrum.
f Mein Rad ist vor [der/die] Schule.

C Wo ist alles? Schreib Sätze.
Beispiel: *Der Stuhl ist vor dem Schreibtisch.*

3.1 *in*
in is sometimes followed by the accusative and sometimes by the dative case.

When followed by the accusative, *in* tells you where someone or something **is going to**:

| *Ich fahre in die Stadt.* | I'm going **into** town. |
| *Ich gehe ins Kino. (in + das)* | I'm going **to the** cinema. |

But when followed by the dative, *in* tells you where someone or something **is already**:

| *Ich wohne in der Stadt.* | I live **in the** city. |
| *Der CD-Spieler ist im Schreibtisch. (in + dem)* | The CD player is **in the** desk. |

D Akkusativ oder Dativ? Füll die Lücken aus.

a Tom ist in d _____ Schule.
b Wir gehen in d _____ Park.
c Was ist in d _____ Rucksack?
d Ich gehe in d _____ Supermarkt.
e Wir wohnen in d _____ Wohnung links.
f Fährst du in d _____ Stadt?

3.2 *seit*
seit (since) is a preposition indicating time. It is always used with the present tense and it takes the dative case:

Seit wann hast du Kopfschmerzen?
How long have you had a headache?

Ich habe seit Sonntag Grippe.
I've had flu **since** Sunday.

Meine Ohren tun seit drei Tagen weh.
My ears have been hurting **for** three days.

E 👥 Seit wann hast du … ? Macht Dialoge mit den Informationen.

Beispiel:
A Seit wann hast du Grippe?
B Seit Mittwoch.

Grippe	Sonntag
Bauchschmerzen	1 Woche
Fieber	Mittwoch
Halsschmerzen	2 Tage
Husten	gestern
Heuschnupfen	3 Tage

4 Adjectives   *Adjektive*

Adjectives are the words we use to describe nouns.

When the adjective **follows** a noun it has no additional ending, just as in English:

*Der Pullover ist **alt**.*   The jumper is **old**.

*Meine Mutter ist sehr **lieb**.*   My mother is very **kind**.

When the adjective is placed **in front of** a noun it adds an extra ending. The ending depends on the gender of the noun being described (masculine, feminine or neuter) and the case being used:

	nominative case	accusative case
	Das ist/sind ...	Ich trage ...
m.	ein gelb**er** Rock	einen gelb**en** Rock
f.	eine blau**e** Jacke	eine blau**e** Jacke
n.	ein weiß**es** T-Shirt	ein weiß**es** T-Shirt
pl.	braun**e** Schuhe	braun**e** Schuhe

A 🅦📖 Was ist das? Schreib Sätze.

Beispiel: *Das ist ein rotes Kleid.*

a **Kleid**
b **Rock**
c
d **Mütze**
e **Turnschuhe**
f **Hose**

B 🅦📖 Schreib Sätze mit *Ich trage einen/eine/ein ...*

Beispiel: *a Ich trage ein grünes Hemd.*

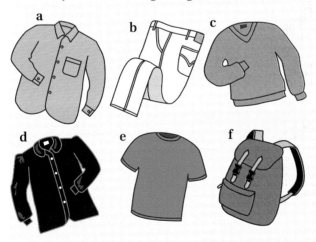

C 🅦📖 Ausverkauf – was hast du gekauft? Schreib Plural-Sätze.

Beispiel: *a Ich habe zwei schwarze Kleider gekauft.*

a Kleid (2 – schwarz)
b Schuhe (braun)
c Sweatshirt (3 – grün)
d Strumpfhose (2 – grau)
e Krawatte (4 – rot)
f Hemd (2 – weiß)

4.2 Comparatives and superlatives of adjectives

If you want to compare two things, you need to add *-er als* to the adjective:

Zigaretten sind gefährlich.	➡	*Zigaretten sind gefährlich**er** **als** Lärm.*
Fabriken sind umweltfeindlich.	➡	*Fabriken sind umweltfeindlich**er** **als** Müll.*
Müll ist schlimm.	➡	*Müll ist schlimm**er** **als** Verkehr.*

If you want to say that something is *the most ...,* you add *am -sten* to the adjective:

*Fabriken sind **am** gefährlich**sten**.*   Factories are **the most dangerous.**

*Pestizide sind **am** umweltfeindlich**sten**.*   Pesticides are **the most** environmentally unfriendly.

*Lärm ist **am** schlimm**sten**.*   Noise is **the worst.**

If there is another noun with the adjective, you add the article and *-ste* to the adjective:

*Müll ist **das** größ**te** Problem.*

*Fabriken sind **das** schlimm**ste** Problem.*

*Verkehr ist **das** umweltfeindlich**ste** Problem.*

The comparatives and superlatives of some adjectives don't follow this pattern: *gern* and *gut* are two of them:

	comparative	superlative
Ich trage **gern** Röcke.	Ich trage **lieber** Hosen.	Ich trage **am liebsten** Jeans.
Deutsch finde ich **gut**.	Englisch finde ich **besser**.	Mathe finde ich **am besten**.

D Wie ist deine Familie? Schreib Sätze.

Beispiel:
Meine Schwester ist kleiner als meine Mutter.
Aber meine Oma ist am kleinsten.

a klein: meine Schwester – meine Mutter – meine Oma
b fleißig: mein Bruder – meine Schwester – ich
c lustig: mein Onkel – mein Vater – mein Opa
d freundlich: meine Mutter – meine Oma – meine Tante
e faul: mein Cousin – meine Schwester – meine Cousine
f frech: ich – mein Bruder – mein Hund!

4.3 Possessive adjectives

These are adjectives that show who or what something belongs to (**my** dog, **your** book, **her** brother, etc.):

*Das ist **mein** Bruder.*   That is **my** brother.

*Wo ist **deine** Tasche?*   Where is **your** bag?

They come before the noun they describe in place of *der/die/das/die* or *ein/eine/ein*, for example. Like all adjectives, they have different endings for masculine, feminine, neuter and plural nouns. Here is a list of all the possessive adjectives used in *Klasse! 2*:

	masculine	feminine	neuter	plural
my	mein	meine	mein	meine
your	dein	deine	dein	deine
his	sein	seine	sein	seine
her	ihr	ihre	ihr	ihre

Like *ein/eine/ein*, possessive adjectives also change their endings according to case (see the summary table in section 2.4).

*Das ist **mein** Rucksack.*   That's **my** rucksack.

*Er hat **meinen** Rucksack.*   He's got **my** rucksack.

*Das ist **ihre** Freundin.*   That's **her** friend.

*Sie fährt mit **ihrer** Freundin nach Frankreich.*   She's going to France with **her** friend.

E Schreib Antworten mit *sein/seine/sein* und *ihr/ihre/ihr*.

Beispiel: *a Ja, das ist ihre Tasche.*

a Ist das Susis Tasche? (ja)
b Ist das Daniels bester Freund? (ja)
c Hat Philipp einen Lieblingsfilm?
   (ja – *Lola rennt*)
d Das ist Julias Skateboard, nicht wahr? (ja)
e Ist Mark Toms Bruder? (ja)
f Hat Sandra eine Lieblingsgruppe?
   (ja – *Morgenstern*)

4.3 Demonstrative adjectives

dieser/diese/dieses/diese can be used in place of *der/die/das/die* or *ein/eine/ein* if you want to say *this* or *that*:

Dieser Rock ist sehr schön.   **This** skirt is very nice.

*Gefällt dir **diese** Hose?*   Do you like **this** pair of trousers?

Dieses Kleid gefällt mir gut.   I like **this** dress.

masculine	feminine	neuter	plural
dieser	diese	dieses	diese

**F „Wie gefällt dir dieser/diese/dieses … ?"
Schreib Fragen für die Bilder.**

Beispiel: *a Wie gefällt dir dieses T-Shirt?*

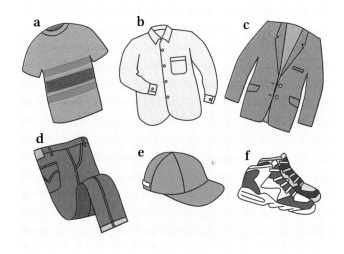

5 Pronouns *Pronomen*

A pronoun is a small word which is used instead of a noun or a name:

Ich *habe einen Nebenjob.*   **I** have a part-time job.

Er *ist sehr freundlich.*   **He** is very friendly.

Here is a list of all the German pronouns for people and things used in *Klasse! 2*:

ich	I	*wir*	we
du	you (informal)	*ihr*	you (informal)
er/sie	he/she	*sie*	they
es/man	it/one	*Sie*	you (formal)

Have you noticed that there are three pronouns, all called *sie*? They all sound the same, but they have different meanings:

- *sie* (with a small s) can mean *she* or *they*. You'll be able to tell the difference, because the verb form will show whether *sie* is singular (*she*) or plural (*they*).
- *Sie* (with a capital S) is the polite form of *you*: you use it when you're talking to adults and strangers and in formal situations.

For example:

*Wie sieht **sie** aus?*   What does **she** look like?

*Was tragen **sie**?*   What are **they** wearing?

*Seit wann haben **Sie** Grippe?*   How long have **you** had flu for?

du is the informal form of *you* when talking to friends, family, children or animals:

*Kommst **du** in die Stadt?*   Are **you** coming into town?

ihr is the plural informal form of *you*. You use this form when talking to more than one person you would normally say *du* to:

*Was wollt **ihr** machen?*   What do **you** want to do?

man is often used in German and can mean *one, you, they* or *we*:

Man *kann ins Schwimmbad gehen.*   **You** can go to the swimming pool.

Man *soll viel Sport treiben.*   **One** should do lots of sport.

6 Verbs *Verben*

Verbs are words that describe what is happening.

*Ich **gehe** in die Stadt.*

*Wir **sind** nach Spanien **geflogen**.*

6.1 The infinitive

W◼ If you want to look up a verb in a dictionary, you have to look up the infinitive. In German, infinitives are easy to recognize as they always end in -*en* or -*n*. For example:

*geh**en** (to go)*

*spiel**en** (to play)*

*samm**eln** (to collect)*

6.2 The present tense

A verb in the present tense describes an action which is taking place now or takes place regularly.

*Ich **spiele** (jetzt) Fußball.*   I **am playing** football.

*Ich **spiele** (jeden Tag) Fußball.*   I **play** football.

6.2.1 Regular verbs

Verb endings change according to who is doing the action:

*Ich spiel**e** Tennis.*

*Wir spiel**en** Tennis.*

Most German verbs follow the same pattern. They have regular endings:

spielen (infinitive)		to play
ich	spiel**e**	I play
du	spiel**st**	you play (informal)
er/sie es/man	spiel**t**	he/she/it/one plays
wir	spiel**en**	we play
ihr	spiel**t**	you play (pl. informal)
sie	spiel**en**	they play
Sie	spiel**en**	you play (formal)

The endings of verbs are always added to the verb stem – that's the infinitive without its -*(e)n* ending.

Some other verbs which follow the same pattern are:

kaufen	to buy	*trinken*	to drink
machen	to do	*wohnen*	to live

Some verbs have an extra *e* in the *du* and *er/sie/es* forms to make them easier to pronounce:

arbeiten (to work)	*finden (to find)*
Ich arbeite zu Hause.	*Ich finde diese Hose super!*
Wo arbeitest du?	*Wie findest du Wesel?*
Er arbeitet im Garten.	*Sie findet das gemein.*

6.2.2   Irregular verbs

Some common verbs do not follow this regular pattern. These are irregular verbs – they change their stem in the *du* and the *er/sie/es* forms. Here are some of the irregular verbs you will come across in *Klasse! 2:*

	fahren (to go, travel)	schlafen (to sleep)
ich	fahre	schlafe
du	fährst	schläfst
er/sie/es	fährt	schläft
wir	fahren	schlafen
ihr	fahrt	schlaft
sie/Sie	fahren	schlafen

	tragen (to wear, carry)	waschen (to wash)
ich	trage	wasche
du	trägst	wäschst
er/sie/es	trägt	wäscht
wir	tragen	waschen
ihr	tragt	wascht
sie/Sie	tragen	waschen

	essen (to eat)	geben (to give)
ich	esse	gebe
du	isst	gibst
er/sie/es	isst	gibt
wir	essen	geben
ihr	esst	gebt
sie/Sie	essen	geben

	helfen (to help)	nehmen (to take)
ich	helfe	nehme
du	hilfst	nimmst
er/sie/es	hilft	nimmt
wir	helfen	nehmen
ihr	helft	nehmt
sie/Sie	helfen	nehmen

	sprechen (to speak)	treffen (to meet)
ich	spreche	treffe
du	sprichst	triffst
er/sie/es	spricht	trifft
wir	sprechen	treffen
ihr	sprecht	trefft
sie/Sie	sprechen	treffen

	lesen (to read)	sehen (to see)
ich	lese	sehe
du	liest	siehst
er/sie/es	liest	sieht
wir	lesen	sehen
ihr	lest	seht
sie/Sie	lesen	sehen

6.2.3   *haben* (to have) and *sein* (to be)

haben (to have) and *sein* (to be) don't follow the pattern of any other verbs, so you'll need to learn them by heart. Here is a list of their present tense verb forms:

haben (to have)	sein (to be)
ich habe	ich bin
du hast	du bist
er/sie/es/man hat	er/sie/es/man ist
wir haben	wir sind
ihr habt	ihr seid
sie haben	sie sind
Sie haben	Sie sind

6.2.4   Reflexive verbs

Reflexive verbs have two parts: a verb and a pronoun (for example *mich*):

Ich wasche **mich.**	I have a wash. (I wash **myself.**)
Ich ziehe **mich** *aus.*	I get undressed. (I undress **myself.**)

A   Schreib die Sätze auf Deutsch auf.

   a I get undressed.
   b I have a wash.
   c I get dressed.

6.2.5 Separable verbs

Separable verbs also consist of two parts: a verb and a prefix (a small word like *ab*, *auf*, etc.) In dictionaries and word lists the prefix goes to the **front** of the infinitive and they become one word: *aufstehen* (to get up), *abwaschen* (to wash up).

In the present tense the extra part goes to the **end** of the sentence: *Ich stehe **auf**.* (I get up.)
*Ich wasche **ab**.* (I wash up.)

B Was machst du? Schreib Sätze mit den Infinitiven.

Beispiel: a Ich stehe auf.

a aufstehen   d abwaschen
b einkaufen   e aufräumen
c fernsehen

6.2.6 Modal verbs

Modal verbs tell you what you can, must, want to do, etc. They are used together with another verb which is sent to the end of the sentence in its infinitive form:

Ich **muss** um 20 Uhr zu Hause **sein**.	I **have to be** at home at 8 o'clock.
Ich **darf** nicht in die Disco **gehen**.	I'm not **allowed to go** to the disco.
Man **soll** viel Obst **essen**.	You **should eat** lots of fruit.

Modal verbs are irregular. Here are the verbs you will come across in *Klasse! 2:*

	müssen (have to/must)	dürfen (allowed to/may)	können (able to/can)
ich	muss	darf	kann
du	musst	darfst	kannst
er/sie/es/man	muss	darf	kann
wir	müssen	dürfen	können
ihr	müsst	dürft	könnt
sie/Sie	müssen	dürfen	können

	wollen (want to)	sollen (ought to/should)
ich	will	soll
du	willst	sollst
er/sie/es/man	will	soll
wir	wollen	sollen
ihr	wollt	sollt
sie/Sie	wollen	sollen

C Schreib die Sätze richtig auf.

a helfen / zu / Ich /muss / Hause / .
b darf / ins / gehen / Ich / nicht / Kino / .
c Computer / Ich / keinen / kaufen / darf / .
d immer / Ich / abwaschen / muss / .
e nicht / Konzerte / darf / in / gehen / Ich / .
f Abend / muss / lernen / jeden / Ich / .

D1 Was kann man in Wesel machen? Schreib Sätze mit *Man kann/wir können ...*

Beispiel:
a Man kann ins Freizeitzentrum gehen.

a Ich gehe ins Freizeitzentrum.
b Wir machen einen Einkaufsbummel.
c Wir gehen ins Museum.
d Ich gehe in die Eisbahn.
e Wir machen ein Picknick.
f Ich gehe ins Schwimmbad.

D2 Was wollen Tom und Tina in Wesel machen? Schreib Sätze mit *Ich will/wir wollen ...* für die Sätze in Übung D1.

Beispiel: 1 Ich will ins Freizeitzentrum gehen.

E Was soll man für die Gesundheit tun? Schreib die Sätze richtig auf.

a keine / essen / Schokolade / soll / Man / .
b Sport / viel / soll / Man / treiben / .
c rauchen / Man / nicht / soll / .
d zu / soll / gehen / Fuß / Man / viel / .
e kein / soll / essen / Man / Fastfood / .
f soll / Salat / viel / essen / Man / .

6.2.7 *möchte* + werden

Ich möchte (I would like) is often used in German:

*Ich **möchte** einen Computer.*

*Ich **möchte** diese Mütze.*

Ich möchte can also work in the same way as a modal verb: you can add a verb to the end of the sentence, in its infinitive form:

*Ich **möchte** Informatiker **werden**.*
I **would like to be (become)** a computer programmer.

*Tina **möchte** Tierärztin **werden**.*
Tina **would like to be (become)** a vet.

F 👥👥 **Was möchtest du später werden? A fragt, B wählt einen Beruf und antwortet. Dann ist B dran.**

Beispiel:
A Was möchtest du später werden?
B Ich möchte Polizistin werden.

Büroarbeiter/in	Tierarzt/ärztin
Hausmann/frau	Polizist/in
Lehrer/in	Informatiker/in
Verkäufer/in	

6.2.7 The imperative
The imperative is the form of the verb you use when you want to give someone an instruction or advice:
Listen carefully. **Eat** more fruit.

When giving an instruction to:
☐ someone you say *du* to:
  use the *du* form without the *du* and *-st* ending;
☐ someone you say *Sie* to:
  use the *Sie* form with the *Sie* and start with the verb.

Du trinkst Mineralwasser. ➡ ***Trink** Mineralwasser!*

Du nimmst diese Tabletten. ➡ ***Nimm** diese Tabletten!*

Sie trinken Mineralwasser. ➡ ***Trinken Sie** Mineralwasser!*

Sie nehmen diese Tabletten. ➡ ***Nehmen Sie** diese Tabletten!*

G Schreib neue Imperativ-Sätze.

*Beispiel: **a** Iss keine Süßigkeiten!*

a Du isst keine Süßigkeiten.
b Sie nehmen diese Lotion.
c Du gehst viel zu Fuß.
d Du trinkst keinen Alkohol.
e Sie machen viel Sport.
f Sie essen kein Fastfood.

6.3 The perfect tense
A verb in the perfect tense describes something which happened in the past (yesterday or last week, for example):

I **played** tennis yesterday.

We **went** to the cinema last weekend.

To form the perfect tense, you need two parts: the present tense of *haben* or *sein*, and the past participle of the main verb.

6.3.1 The perfect tense using *haben*
To form the perfect tense, you normally use the present tense of the verb *haben* and the past participle of the main verb. The past participle always goes at the end of the sentence:

*Wir **haben** einen Ausflug **gemacht**.*

*Ich **habe** Fußball **gespielt**.*

*Wir **haben** Souvenirs **gekauft**.*

To form the past participle for regular verbs, you take the stem of the verb and add *ge-* at the start and *-t* at the end:

infinitive	stem	past participle
machen	mach	gemacht
spielen	spiel	gespielt
kaufen	kauf	gekauft

H Finde die passenden Perfekt-Partizipien für die Infinitive.

*Beispiel: **a** hören – gehört*

a hören   **d** spielen
b tanzen   **e** wohnen
c machen   **f** kaufen

A small number of verbs which form their perfect tense with *haben* have past participles which don't follow this pattern:

*Ich habe Kuchen **gegessen**.*

*Wir haben Limonade **getrunken**.*

*Wir haben Sehenswürdigkeiten **besichtigt**.*

*Ich habe meine Brieffreundin **besucht**.*

I Schreib eine Postkarte im Perfekt mit den Bildern.

Beispiel: *Ich habe meine Brieffreundin in Paris besucht.*

6.3.3 The perfect tense using *sein*

A small number of irregular verbs use *sein* instead of *haben*. These are mainly verbs expressing movement or change (to go, to travel, for example). Their past participles are also irregular: they still start with *ge-*, but they end with *-en*. Some also change their stem.

infinitive	stem	past participle
fahren	fahr	gefahren
fliegen	flieg	geflogen
gehen	geh	gegangen
bleiben	bleib	geblieben

Note that *bleiben* (to stay) also forms its perfect tense with *sein*, even though it's not a 'movement' verb.

J Ferien letztes Jahr – schreib die Sätze im Perfekt mit *sein* auf.

Beispiel: **a** *Ich bin nach Frankreich gefahren.*

  a Ich fahre nach Frankreich.
  b Wir gehen ins Schwimmbad.
  c Ich bleibe zu Hause.
  d Ich fliege nach Amerika.
  e Wir fahren nach Berlin.
  f Wir fliegen nach Afrika.

K *haben* oder *sein*? Füll die Lücken aus.

Beispiel: **a** *Ich bin nach Österreich gefahren.*

  a Ich _____ nach Österreich gefahren.
  b Wir _____ einen Ausflug gemacht.
  c Meine Freundin _____ nach Amerika geflogen.
  d Ich _____ Souvenirs gekauft.
  e Mein Bruder _____ zu Hause geblieben.
  f Wir _____ ins Schwimmbad gegangen.

6.4 The imperfect tense

A small number of very common verbs usually use the imperfect tense instead of the perfect tense. *Sein* is one of these verbs:

Präsens (present tense)	Imperfekt (imperfect tense)
Ich **bin** in London.	Ich **war** in London.
Wo **bist** du?	Wo **warst** du?
Es **ist** kalt.	Es **war** kalt.

L Schreib einen Wetterbericht mit den Bildern.

Beispiel: *a Es war kalt.*

M Wo warst du? Und wie war das Wetter? Macht Dialoge mit den Informationen.

England – schön	Österreich – heiß
Spanien – kalt	Amerika – schlecht

6.5 Talking about the future

There are two ways of talking about the future:

☐ You can use the present tense together with an expression of time:

*Ich **stehe** morgen um 7 Uhr **auf**.*	I'm **going to get up** at seven o'clock tomorrow.
*Ich **schreibe** am Samstag einen Brief.*	I'm **going to write** a letter on Saturday.

☐ You can also use the future tense. This is formed with the present tense of the verb *werden* and the infinitive of the main verb, which is sent to the end of the sentence:

*Ich **werde** Sport **treiben**.*	I **will do** sport.
*Ich **werde** Hausaufgaben **machen**.*	I **will do** my homework.

Here are the present tense forms of *werden*:

ich	werde	wir	werden
du	wirst	ihr	werdet
er/sie/es	wird	sie/Sie	werden

N Schreib die Sätze im Futur auf.

Beispiel:

a Wir werden eine Theater-AG machen.

a Wir machen eine Theater-AG.
b Ich spiele Basketball.
c Tom schreibt jeden Tag E-Mails.
d Du fährst nach London.
e Wir gehen zu Fuß zur Schule.
f Ich esse keine Süßigkeiten.

7 Negatives *Negationen*

7.1 *nicht*

nicht means *not* and always goes directly after the verb:

*Ich bin **nicht** ungeduldig.*	I'm **not** impatient.
*Ich trage **nicht** gern Uniform.*	I do **not** like wearing a uniform.
*Ich darf **nicht** in die Disco gehen.*	I'm **not** allowed to go to the disco.

7.2 *kein/keine/kein/keine*

kein/keine/kein/keine means *no, not a, not any*. It is followed by a noun and follows the pattern of *ein/eine/ein* (see the summary table in section 2.4):

m.	Ich habe **keinen** Fahrplan.	I do **not** have **a** timetable.
f.	Ich habe **keine** Seife.	I do **not** have **any** soap.
n.	Ich bekomme **kein** Taschengeld.	I do **not** get **any** pocket money.
pl.	Ich darf **keine** Freunde einladen.	I'm **not** allowed to invite **any** friends round.

8 Word order *Wortstellung*

Sentences usually start with the subject (the person or thing doing the action). The verb is usually the second piece of information (but not necessarily the second word):

*Ich **wohne** in Wesel.*

*Mein Bruder **hört Musik.***

8.1 Time – manner – place
When a sentence contains several pieces of information, the order that they must take is
time – manner – place:

	time	manner	place
*Ich **fahre***	*morgen*	*mit dem Zug*	*nach Köln.*

Even if only two types of information are present, the word order still remains the same:

*Wir **fahren** mit dem Rad in die Stadt.*

*Wir **fahren** heute mit dem Auto.*

To stress something important (such as dates or times), you can put the important piece of information at the beginning of the sentence. The subject must then come straight after the verb so that the verb is still the second piece of information:

*Um zwei Uhr **komme** ich nach Hause.*

*Am 24. Dezember **ist** Heiligabend.*

8.2 *weil*
Some 'linking words' like *weil* (because) change the word order of part of the sentence – they send the verb to the end:

*Ich mag meine Mutter. Sie **ist** sehr nett.*	*Ich mag meine Mutter, weil sie sehr nett **ist.***
*Meine Uniform ist gut. Sie **ist** praktisch.*	*Meine Uniform ist gut, weil sie praktisch **ist.***

A Schreib neue Sätze mit *weil.*

Beispiel: *a Ich mag Susi, weil sie lustig ist.*

a Ich mag Susi. Sie ist lustig.
b Ich wohne gern hier. Es ist nie langweilig.
c Meine Uniform ist schlecht. Sie ist altmodisch.
d Wir verstehen uns gut. Er ist immer nett.
e Ich wohne gern auf dem Land. Es ist ruhig.
f Wir streiten uns. Sie sind streng.

9 Asking questions *Fragen*

You can ask questions in two ways:

☐ by putting the verb of the sentence first:

*Du **fährst** nach Stuttgart.* ➡ ***Fährst** du nach Stuttgart?*
You're going to Stuttgart.   Are you going to Stuttgart?

*Kathi **ist** sympathisch.* ➡ ***Ist** Kathi sympathisch?*
Kathi is nice.   Is Kathi nice?

☐ by using a question word at the beginning of the sentence:

***Wann** hast du Geburtstag?*   When is your birthday?

***Was** hast du gemacht?*   What did you do?

When you use a question word, the verb must be the second piece of information.

Here's a list of all the question words in *Klasse! 2:*

Wann?	When?	***Wann** hast du Geburtstag?*
Was?	What?	***Was** hast du gekauft?*
Welcher/-e/-es?	Which?	***Welcher** Pullover gefällt dir?*
Wer?	Who?	***Wer** ist das?*
Wie?	How?	***Wie** war das Hotel?*
Wie viel?	How much?	***Wie viel** Taschengeld bekommst du?*
Wo?	Where?	***Wo** ist die Limonade?*
Wohin?	Where to?	***Wohin** fährst du?*
Woher?	Where from?	***Woher** kommst du?*

Answers to grammar activities

1 Nouns *Nomen*

A Mein Vater/Meine Mutter ist ...
a Arzt/Ärztin; b Sekretär/Sekretärin;
c Krankenpfleger/Krankenschwester;
d Postbote/Postbotin;
e Mechaniker/Mechanikerin;
f LKW-Fahrer/LKW-Fahrerin

3 Prepositions *Präpositionen*

A a aus; b mit; c für; d zu; e von; f nach

B a an der; b dem; c dem; d der; e im; f der

C Der Stuhl ist vor dem Schreibtisch.
Der CD-Spieler ist unter dem Schreibtisch.
Das Buch ist im Schreibtisch.
Die Lampe ist auf dem Schreibtisch.
Die Tasche ist auf dem Schreibtisch/neben der Lampe.
Das Skateboard ist auf dem Stuhl.

D a der; b den; c dem; d dem; e der; f die

E A Seit wann hast du ... ?
B Seit Sonntag/einer Woche/Mittwoch/
zwei Tagen/gestern/3 Tagen.

4 Adjectives *Adjektive*

A a Das ist ein rotes Kleid.
b Das ist ein grüner Rock.
c Das ist eine weiße Strumpfhose.
d Das ist eine gelbe Mütze.
e Das sind blaue Turnschuhe.
f Das ist eine schwarze Hose.

B Ich trage ...
a ein grünes Hemd; b eine weiße Jeans;
c einen grauen Pullover; d eine schwarze Bluse;
e ein blaues T-Shirt; f einen braunen Rucksack.

C Ich habe ... gekauft.
a zwei schwarze Kleider; b braune Schuhe;
c drei grüne Sweatshirts; d zwei graue
Strumpfhosen; e vier rote Krawatten; f zwei
weiße Hemden

D a Meine Schwester ist kleiner als meine Mutter.
Aber meine Oma ist am kleinsten.
b Mein Bruder ist fleißiger als meine Schwester.
Aber ich bin am fleißigsten.
c Mein Onkel ist lustiger als mein Vater.
Aber mein Opa ist am lustigsten.
d Meine Mutter ist freundlicher als meine Oma.
Aber meine Tante ist am freundlichsten.
e Mein Cousin ist fauler als meine Schwester.
Aber meine Cousine ist am faulsten.
f Ich bin frecher als mein Bruder.
Aber mein Hund ist am frechsten!

E a Ja, das ist ihre Tasche.
b Ja, das ist sein bester Freund.
c Ja, sein Lieblingsfilm ist *Lola rennt*.
d Ja, das ist ihr Skateboard.
e Ja, Mark ist sein Bruder.
f Ja, *Morgenstern* ist ihre Lieblingsgruppe.

F Wie gefällt dir ... ?
a dieses T-Shirt; b dieses Hemd; c diese Jacke;
d diese Jeans; e diese Mütze:
f Wie gefallen dir diese Turnschuhe?

6 Verbs *Verben*

A a Ich ziehe mich aus. b Ich wasche mich.
c Ich ziehe mich an.

B a Ich stehe auf. b Ich kaufe ein. c Ich sehe fern.
d Ich wasche ab. e Ich räume ab.

C a Ich muss zu Hause helfen.
b Ich darf nicht ins Kino gehen.
c Ich darf keinen Computer kaufen.
d Ich muss immer abwaschen.
e Ich darf nicht in Konzerte gehen.
f Ich muss jeden Abend lernen.

D1 a Man kann ins Frezeitzentrum gehen.
b Wir können einen Einkaufsbummel machen.
c Wir können ins Museum gehen.
d Man kann in die Eisbahn gehen.
e Wir können ein Picknick machen.
f Man kann ins Schwimmbad gehen.

D2   **a** Ich will ins Freizeitzentrum gehen.
      b Wir wollen einen Einkaufsbummel machen.
      c Wir wollen ins Museum gehen.
      d Ich will in die Eisbahn gehen.
      e Wir wollen ein Picknick machen.
      f Ich will ins Schwimmbad gehen.

E   **a** Man soll keine Schokolade essen.
    b Man soll viel Sport treiben.
    c Man soll nicht rauchen.
    d Man soll viel zu Fuß gehen.
    e Man soll kein Fastfood essen.
    f Man soll viel Salat essen.

F   **A** Was möchtest du später werden?
    B Ich möchte ... werden.

    Büroarbeiter/Büroarbeiterin
    Tierarzt/Tierärztin
    Hausmann/Hausfrau
    Polizist/Polizistin
    Lehrer/Lehrerin
    Verkäufer/Verkäuferin
    Informatiker/Informatikerin

G   **a** Iss keine Süßigkeiten!
    b Nehmen Sie diese Lotion!
    c Geh viel zu Fuß!
    d Trink keinen Alkohol!
    e Machen Sie viel Sport!
    f Essen Sie kein Fastfood!

H   **a** gehört; **b** getanzt; **c** gemacht; **d** gespielt;
    e gewohnt; **f** gekauft

I   Ich habe meine Brieffreundin in Paris besucht.
    Wir haben Sehenswürdigkeiten besichtigt und
    ich habe Postkarten gekauft. Wir haben
    Croissants gegessen und Kaffee getrunken und
    wir haben Basketball gespielt.

J   **a** Ich bin nach Frankreich gefahren.
    b Wir sind ins Schwimmbad gegangen.
    c Ich bin zu Hause geblieben.
    d Ich bin nach Amerika geflogen.
    e Wir sind nach Berlin gefahren.
    f Wir sind nach Amerika geflogen.

K   **a** bin; **b** haben; **c** ist; **d** habe; **e** ist; **f** sind

L   Es war ...
    a kalt; **b** sonnig; **c** windig; **d** heiß; **e** neblig;
    f wolkig

M   **A** Wo warst du?
    B Ich war in England/Spanien/Österreich/
    Amerika.
    A Wie war das Wetter?
    B Es war schön/kalt/heiß/schlecht.

N   **a** Wir werden eine Theater-AG machen.
    b Ich werde Basketball spielen.
    c Tom wird jeden Tag E-Mails schreiben.
    d Du wirst nach London fahren.
    e Wir werden zu Fuß zur Schule gehen.
    f Ich werde keine Süßigkeiten essen.

8   Word order   *Wortstellung*

A   **a** Ich mag Susi, weil sie lustig ist.
    b Ich wohne gern hier, weil es nie langweilig ist.
    c Meine Uniform ist schlecht, weil sie
    altmodisch ist.
    d Wir verstehen uns gut, weil er immer nett ist.
    e Ich wohne gern auf dem Land, weil es ruhig
    ist.
    f Wir streiten uns, weil sie streng sind.

Hilfreiche Ausdrücke

Numbers   *die Zahlen*

1	eins	13	dreizehn	25	fünfundzwanzig	100	hundert
2	zwei	14	vierzehn	26	sechsundzwanzig	200	zweihundert
3	drei	15	fünfzehn	27	siebenundzwanzig	300	dreihundert
4	vier	16	sechzehn	28	achtundzwanzig	400	vierhundert
5	fünf	17	siebzehn	29	neunundzwanzig	500	fünfhundert
6	sechs	18	achtzehn	30	dreißig	600	sechshundert
7	sieben	19	neunzehn	40	vierzig	700	siebenhundert
8	acht	20	zwanzig	50	fünfzig	800	achthundert
9	neun	21	einundzwanzig	60	sechzig	900	neunhundert
10	zehn	22	zweiundzwanzig	70	siebzig	1000	tausend
11	elf	23	dreiundzwanzig	80	achtzig		
12	zwölf	24	vierundzwanzig	90	neunzig		

Days   *die Wochentage*

Monday	*Montag*
Tuesday	*Dienstag*
Wednesday	*Mittwoch*
Thursday	*Donnerstag*
Friday	*Freitag*
Saturday	*Samstag*
Sunday	*Sonntag*

Months   *die Monate*

January	*Januar*
February	*Februar*
March	*März*
April	*April*
May	*Mai*
June	*Juni*
July	*Juli*
August	*August*
September	*September*
October	*Oktober*
November	*November*
December	*Dezember*

Dates   *die Daten*

1st	1.	ersten
2nd	2.	zweiten
3rd	3.	dritten
4th	4.	vierten
5th	5.	fünften
6th	6.	sechsten
7th	7.	siebten
8th	8.	achten
9th	9.	neunten
10th	10.	zehnten
20th	20.	zwanzigsten
21st	21.	einundzwanzigsten
22nd	22.	zweiundzwanzigsten
23rd	23.	dreiundzwanzigsten
24th	24.	vierundzwanzigsten
25th	25.	fünfundzwanzigsten

Ich habe am 13. Juli Geburtstag.
My birthday is on the 13th of July.

Heiligabend ist am 24. Dezember.
Christmas Eve is on the 24th of December.

Countries   *die Länder*

America	*Amerika*
Australia	*Australien*
Austria	*Österreich*
Belgium	*Belgien*
England	*England*
France	*Frankreich*
Germany	*Deutschland*
Great Britain	*Großbritannien*
Greece	*Griechenland*
Ireland	*Irland*
Italy	*Italien*
Northern Ireland	*Nordirland*
Pakistan	*Pakistan*
Portugal	*Portugal*
Scotland	*Schottland*
Spain	*Spanien*
Switzerland	*die Schweiz*
Turkey	*die Türkei*
Wales	*Wales*

*Ich bin **nach** ... gefahren.*

*Ich bin **in die** Schweiz/Türkei gefahren.*

Vokabular

A

der Abend(-e) evening
abends in the evening
aber but
die Abkürzung(-en) abbreviation
abwaschen to wash up
acht eight
adaptieren to adapt
die Adresse(-n) address
Afrika Africa
AG (Arbeitsgemeinschaft) club, study group
der Alkohol alcohol
alles everything
der Alltag daily routine
also so ..., well ..., therefore
alt old
der Altglascontainer(-) bottle bank
altmodisch old-fashioned
das Altpapier waste paper
der Altpapiercontainer(-) paper recycling skip
am liebsten most of all
an at
ändern to change
anderer/andere/anderes other
anstrengend hard work, taxing
die Antwort(-en) reply
der Antwortbrief(-e) letter in reply
antworten to answer, reply
die Anzeige(-n) advertisment
sich anziehen to get dressed
der Apfel (Äpfel) apple
der Apfelsaft apple juice
die Apotheke(-n) dispensing chemist's
die Arbeit(-en) work
arbeiten to work
arbeitslos unemployed
der Arm(-e) arm
der Artikel(-) article
der Arzt (Ärzte) male doctor
die Ärztin(-nen) female doctor
der Asthmaspray(-s) asthma spray
auch also
auf on
aufräumen to tidy up
aufstehen to get up
das Auge(-n) eye
der Ausflug(-flüge) outing
den Hund ausführen to take the dog for a walk
im Ausland abroad
auslassen to leave out
die Ausrede(-n) excuse
aussehen to look like
der Austauschschüler(-) male exchange pupil
die Austauschschülerin(-nen) female exchange pupil
austragen to deliver (newspapers)
der Ausverkauf sale
sich ausziehen to get undressed
das Auto(-s) car
die Avocado(-s) avocado

B

der Babysitter(-) male babysitter
die Babysitterin(-nen) female babysitter
der Badeanzug(-züge) swimming costume
baden to have a bath
das Badezimmer(-) bathroom
der Bahnhof(-höfe) station
bald soon
der Balkon(-s) balcony
die Banane(-n) banana
die Bank(-en) bank
der Bauch stomach
der Baum (Bäume) tree
beantworten to answer (questions)
bei at the home of
das Bein(-e) leg
das Beispiel(-e) example
bekommen to receive, get
benutzen to use
bequem comfortable
der Beruf(-e) job, occupation, profession
beschreiben to describe
die Beschreibung(-en) description
der Besen(-) broom
besichtigen to visit, look around (a town)
besuchen to visit (a person)
das Bett(-en) bed
das Bild(-er) picture
billig cheap
ich bin I am
bis until
du bist you are
blau blue
bleiben to stay, remain
blöd stupid, silly
blond blonde
die Blume(-n) flower
die Bluse(-n) blouse
brauchen to need
braun brown
der Brief(-e) letter
der Brieffreund(-e) male penfriend
die Brieffreundin(-nen) female penfriend
die Briefmarke(-n) stamp
die Brille(-n) glasses
das Brot(-e) bread
der Bruder (Brüder) brother
das Buch (Bücher) book
der Buntstift(-e) coloured pencil, crayon
der Bus(-se) bus
die Busfahrkarte(-n) bus ticket
die Bushaltestelle(-n) bus stop

C

das Café(-s) café
der Campingplatz(-plätze) camp site
die CD(-s) CD
die Chips (pl.) crisps
die Chipstüte(-n) crisp packet
die Cola(-s) cola
der Computer(-) computer
das Computerspiel(-e) computer game
der Cousin(-s) male cousin
die Cousine(-n) female cousin
die Currywurst(-würste) curry sausage with spicy ketchup

D

danach afterwards
dann then
das the, that
das Datum (Daten) date
dauern to last
decken to lay (table)
dein your
denn because
denken to think
der the
deutlich clearly
Deutsch German
Deutschland Germany
der Dialog(-e) dialogue
die the
dieser/diese/dieses this
diese (pl.) these
die Disco(-s) disco
der Dom(-e) cathedral
doof silly
das Dorf (Dörfer) village
dort there
dort drüben over there
die Dose(-n) can, tin
drei three
am dritten April on 3 April
die Drogerie(-n) drugstore
du you
dürfen to be allowed to
durcheinander in a mess
sich duschen to take/have a shower
das Duschgel shower gel

E

das Ei(-er) egg
das Eichhörnchen(-) squirrel
eigener/eigene/eigenes own
ein/eine/ein a/an
einige some, several
einkaufen to shop
das Einkaufszentrum(-zentren) shopping centre
einladen to invite
die Einladung(-en) invitation
einmal once
der Einkaufsbummel(-) shopping trip
der Einwohner(-) inhabitant
das Eis(-) ice-cream
die Eisbahn ice-rink
die Eisdiele(-n) ice-cream parlour/shop
die Eltern (pl.) parents
die E-Mail(-s) e-mail

eng narrow
Entschuldigung! sorry!
der Entschuldigungsbrief(-e) letter of apology
er he
die Erde earth, soil
ernst serious
am ersten Juli on 1 July
der Erwachsene(-n) adult
es gefällt mir I like it
es gibt there is/there are
essen to eat
das Essen(-) food, meal
etwas something
der Euro(-) euro

F

die Fabrik(-en) factory
fahren to go, travel
der Fahrplan(-pläne) timetable
das Fahrrad(-räder) bicycle
die Fahrt(-en) journey, trip
falsch wrong, incorrect
die Familie(-n) family
die Farbe(-n) colour
das Fastfood-Restaurant(-s) fast-food restaurant
faul lazy
faulenzen to laze about, relax
die Federmappe(-n) pencil case
feiern to celebrate
der Feiertag(-e) public holiday
die Ferien (pl.) holidays
die Ferienwohnung(-en) holiday flat
fernsehen to watch television
der Fernseher(-) television
fett fatty
das Feuerwerk(-e) firework display, fireworks
das Fieber fever, high temperature
der Film(-e) film
der Filzstift(-e) felt-tipped pen
finden to find, think
der Fisch(-e) fish
die Flasche(-n) bottle
das Fleisch meat
fleißig hard-working
fliegen to fly
das Foto(-s) photo
der Fotoapparat(-e) camera
die Frage(-n) question
fragen to ask
Frankreich France
frech cheeky, naughty
der Freizeitpark(-s) theme/leisure park
das Freizeitzentrum(-zentren) leisure centre
sich freuen to be happy, pleased
der Freund(-e) male friend
die Freundin(-nen) female friend
freundlich friendly
froh happy
der Frosch (Frösche) frog
früh early
frühstücken to eat breakfast
der Füller(-) fountain pen

das Fundbüro(-s) lost property office
fünf five
für for
furchtbar terrible
der Fuß (Füße) foot
zu Fuß on foot
der Fußball(-bälle) football
Fußball spielen to play football
das Fußballstadion(-stadien) football stadium
füttern to feed (animals)

G

gar nicht not at all
gar nichts nothing at all
der Garten (Gärten) garden
der Gärtner(-) gardener
die Gastfamilie(-n) host family
das Gebäude(-) building
geben to give
der Geburtstag(-e) birthday
das Gedicht(-e) poem
gefährlich dangerous
es gefällt mir I like it
gehen to go
die Geige(-n) violin
gelb yellow
das Geld money
die Geldbörse(-n) purse
gemein mean
das Gemüse(-) vegetables
es hat geregnet it rained
gern
ich lese gern I like reading
das Geschäft(-e) shop
die Geschäftsfrau(-en) businesswoman
der Geschäftsmann(-männer) businessman
das Geschenk(-e) present, gift
es hat geschneit it snowed
gestern yesterday
gesund healthy
die Gesundheit health
das Getränk(-e) drink
es gibt there is/are
die Gitarre(-n) guitar
glatt smooth
glauben to believe, think
grau grey
Griechenland Greece
die Grippe flu
groß large, big
die Großeltern (pl.) grandparents
grün green
die Gruppe(-n) group
der Gruß (Grüße) greeting
gut good
der Gutschein(-e) gift voucher

H

die Haare (pl.) hair
haben to have
das Hähnchen(-) chicken

es ist halb fünf it's half past four
der Hals (Hälse) neck
die Halstablette(-n) throat sweet
der Hamburger(-) hamburger
die Hand (Hände) hand
das Handy(-s) mobile phone
hässlich horrible, ugly
die Hausaufgaben (pl.) homework
zu Hause at home
die Hausfrau(-en) housewife
der Hausmann(-männer) house husband
das Haustier(-e) pet
das Heft(-e) exercise book
der Heiligabend Christmas Eve
die Heimat home, home town
heiß hot
heißen to be called
helfen to help
das Hemd(-en) shirt
herzlichen Gluckwunsch zum Geburtstag happy birthday
der Heuschnupfen hay fever
heute today
die Hilfe help
das Hobby(-s) hobby
hoch high
hören to hear
die Hose(-n) trousers (pl.)
das Hotel(-s) hotel
der Hund(-e) dog
der Husten(-) cough

I

ich I
der Igel(-) hedgehog
ihr you (pl. informal)
ihr her
die Imbissstube(-n) snack bar
immer always
Indien India
der Informatiker(-) male computer expert
die Informatikerin(-nen) female computer expert
die Information(-en) information
interessant interesting
im Internet surfen to surf the internet
die Internet-Seite(-n) internet/web page
das Interview(-s) interview
Irland Ireland
Italien Italy

J

die Jacke(-n) jacket
die Jeans(-) jeans (pl.)
jeder/jede/jedes every
jetzt now
der Job(-s) job
der Jogurt(-) yoghurt
der Johannisbeersaft blackcurrant juice
die Jugendherberge(-n) youth hostel

die **Jugendlichen** (*pl.*) young people
das **Jugendmagazin(-e)** magazine for young people
das **Jugendzentrum(-zentren)** youth centre
jung young
der **Junge(-n)** boy

K

der **Kaffee(-s)** coffee
der **Kakao(-s)** cocoa, hot chocolate
der **Kalender(-)** calendar
kalt cold
die **Kampagne(-n)** campaign
das **Kaninchen(-)** rabbit
die **Kantine(-n)** canteen
die **Karte(-n)** card, map
die **Kartoffel(-n)** potato
der **Kartoffelsalat(-e)** potato salad
der **Käse** cheese
die **Kassette(-n)** cassette
der **Kassettenrecorder(-)** cassette recorder
die **Katze(-n)** cat
kaufen to buy
kein not any, none
der **Keks(-e)** biscuit
der **Keller(-)** cellar
der **Kellner(-)** waiter
die **Kellnerin(-nen)** waitress
der **Kilometer(-)** kilometer
das **Kind(-er)** child
das **Kino(-s)** cinema
die **Klasse(-n)** class
klasse! excellent, great!
das **Klavier(-e)** piano
das **Kleid(-er)** dress
der **Kleiderschrank(-schränke)** wardrobe
die **Kleidung** clothes
klein small
das **Knie(-)** knee
kochen to cook
der **Kochkurs(-e)** cookery course
der **Koffer(-)** suitcase
können to be able to, can
der **Kontinent(-e)** continent
das **Konzert(-e)** concert
die **Konzertbühne(-n)** concert stage
der **Kopf (Köpfe)** head
die **Kopfschmerzen** (*pl.*) headache
kosten to cost
das **Kraftwerk(-e)** power station
das **Krankenhaus(-häuser)** hospital
der **Krankenpfleger(-)** male nurse
die **Krankenschwester(-n)** female nurse
die **Krawatte(-n)** tie
die **Küche(-n)** kitchen
der **Kuchen(-)** cake
der **Kuli(-s)** ballpoint pen, biro
kurz short

L

das **Lamm (Lämmer)** lamb
die **Lampe(-n)** lamp
das **Land (Länder)** country, land, countryside
　　auf dem Land in the country
lang long
langsam slowly
langweilig boring
der **Lärm** noise
launisch moody
laut loud, noisy
das **Leben(-)** life
die **Lebensmittel** (*pl.*) food
lecker tasty
aus **Leder** made from leather
der **Lehrer(-)** male teacher
die **Lehrerin(-nen)** female teacher
leider unfortunately
Leid tun
　　das tut mir Leid I'm sorry
leise quiet
lernen to learn
lesen to read
die **Leute** (*pl.*) people
lieb nice
lieber/liebe dear ...
lieber
　　ich wohne lieber auf dem Land I prefer to live in the country
am **liebsten** most of all
　　ich trage am liebsten Jeans I like wearing jeans most of all
die **Lieblingsfarbe(-n)** favourite colour
die **Lieblingsgruppe(-n)** favourite group
der **Lieblingsstar(-s)** favourite star
lila purple, lilac
die **Limonade(-n)** lemonade
das **Lineal(-e)** ruler
die **Liste(-n)** list
der **LKW-Fahrer(-)** male truck driver
die **LKW-Fahrerin(-nen)** female truck driver
lockig curly
los
　　was ist los? what's the matter?
die **Lotion(-en)** lotion
das **Lotto(-s)** bingo
die **Luft** air
der **Luftballon(-s)** balloon
lustig funny

M

machen to make, do
das **Mädchen(-)** girl
ich **mag** I like
der **Mais** sweetcorn
das **Make-up** make-up
malen to paint

man one, you
der **Manager(-)** male manager
die **Managerin(-nen)** female manager
manchmal sometimes
der **Markt (Märkte)** market
das **Medikament(-e)** medicine
meinen to think
die **Meinung(-en)** opinion
der **Mensch(-en)** human being
der **Meter(-)** metre
die **Milch** milk
das **Mineralwasser** mineral water
der **Minirock(-röcke)** mini skirt
mit with
mitmachen to join in
mittags at midday
um **Mitternacht** at midnight
die **Mode(-n)** fashion
das **Modell(-e)** model
die **Mode-Seite(-n)** fashion page
mögen to like
der **Monat(-e)** month
morgen tomorrow
morgens in the morning
das **Motorrad(-räder)** motorbike
müde tired
der **Müll** rubbish
das **Museum (Museen)** museum
die **Musik** music
das **Müsli** muesli
müssen to have to, must
die **Mutter (Mütter)** mother
die **Mütze(-n)** cap

N

nach after; to (*a place*)
der **Nachmittag(-e)** afternoon
die **Nachricht(-en)** message
nachschauen to look up
das **Nähen** sewing
der **Name(-n)** name
die **Nase(-n)** nose
die **Natur** nature
neben near, next to
der **Nebenjob(-s)** part-time job
neblig foggy
nehmen to take
nein no
nervös nervous
nett nice
neu new
nicht not
nichts nothing
nie never
noch still
die **Nudeln** (*pl.*) pasta
nur only

O

oben above
das **Obst** (*sing.*) fruit
oder or
oft often
das **Ohr(-en)** ear
der **Ohrring(-e)** earring

die **Oma(-s)** grandma
der **Onkel(-)** uncle
der **Opa(-s)** grandpa
orange orange (*colour*)
organisieren to organise
der **Ort(-e)** place, village
der **Osterhase(-n)** easter bunny
Ostern Easter
Österreich Austria

P

die **Pantomime(-n)** pantomime
das **Papier(-e)** paper
der **Park(-s)** park
der **Parkplatz(-plätze)** parking space
die **Party(-s)** party
der **Partykeller(-)** basement room equipped for parties
das **Pausenbrot(-e)** sandwich
das **Pestizid(-e)** pesticide
das **Pferd(-e)** horse
die **Pflanze(-n)** plant
pflanzen to plant
das **Pfund(-e)** pound
das **Picknick(-s)** picnic
der **Pilz(-e)** mushroom
das **Plakat(-e)** poster, placard
der **Plan (Pläne)** plan
aus **Plastik** made from plastic
die **Plastiktüte(-n)** plastic bag
der **Polizist(-en)** policeman
die **Polizistin(-nen)** policewoman
die **Popband(-s)** pop group/band
das **Popkonzert(-e)** pop concert
der **Popstar(-s)** pop star
die **Post** post office
der **Postbote(-n)** postman
die **Postbotin(-nen)** postwoman
die **Postkarte(-n)** postcard
praktisch practical
pro per
einmal pro Tag once a day
das **Problem(-e)** problem
der **Pullover(-)** jumper
putzen to clean

R

das **Rad (Räder)** bicycle
der **Radiosender(-)** radio station
die **Radiosendung(-en)** radio programme
der **Radiospot(-s)** radio commercial
die **Radtour(-en)** cycling tour
das **Ratespiel(-e)** guessing game
das **Rathaus(-häuser)** town hall
rauchen to smoke
der **Rechner(-)** calculator
rechts on the right
das **Recyclingpapier** recycled paper
das **Regal(-e)** shelf
die **Reihenfolge(-n)** order
der **Reis** rice

rennen to run
der **Reporter(-)** male reporter
die **Reporterin(-nen)** female reporter
das **Resultat(-e)** result
richtig correct, right
der **Rock (Röcke)** skirt
rosa pink
rot red
der **Rücken(-)** back
der **Rucksack(-säcke)** rucksack
ruhig quiet, peaceful

S

der **Saft (Säfte)** juice
sagen to say
die **Sahne** cream
der **Salat(-e)** salad, lettuce
samstags on Saturdays
der **Satz (Sätze)** sentence
sauber clean
schade! what a pity/shame!
der **Schauspieler(-)** actor
die **Schauspielerin(-nen)** actress
die **Scheibe(-n)** slice
die **Scheune(-n)** barn
schicken to send
der **Schirm(-e)** umbrella
schlafen to sleep
das **Schlafzimmer(-)** bedroom
schlecht bad
schließlich finally
schlimm bad, awful
das **Schloss (Schlösser)** castle
das **Schlüsselwort(-wörter)** key word
der **Schmetterling(-e)** butterfly
der **Schmuck** (*sing.*) jewellery
die **Schnecke(-n)** snail
schneiden to cut
schnell quickly
der **Schnupfen** cold
die **Schokolade** chocolate
schön beautiful, nice
Schottland Scotland
schrecklich terrible, awful
schreiben to write
der **Schreibtisch(-e)** desk
der **Schreibwarenladen(-läden)** stationery shop
schüchtern shy, timid
der **Schuh(-e)** shoe
die **Schule(-n)** school
der **Schüler(-)** male pupil
die **Schülerin(-nen)** female pupil
das **Schulfest(-e)** schoolparty
der **Schulhof(-höfe)** school yard
das **Schuljahr(-e)** school year
die **Schulklasse(-n)** school class
die **Schultasche(-n)** school bag
schwarz black
die **Schweiz** Switzerland
die **Schwester(-n)** sister
das **Schwimmbad(-bäder)** swimming pool
schwimmen to swim
der **See(-n)** lake

die **Sehenswürdigkeiten** (*pl.*) sights, attractions
sehr very
die **Seife(-n)** soap
sein to be
sein his
seit since
die **Seite(-n)** page
der **Sekretär(-e)** male secretary
die **Sekretärin(-nen)** female secretary
selten rarely
der **Senf** mustard
das **Shampoo(-s)** shampoo
sie she/they
Sie you (formal)
silber silver
der **Silvester** New Year's Eve
wir sind we are
das **Skateboard(-s)** skateboard
die **Skateboardbahn(-en)** skateboard park
Ski fahren to go skiing
der **Skilift(-e)** ski lift
das **Sofa(-s)** sofa, settee
der **Sommer(-)** summer
die **Sommerferien** (*pl.*) summer holidays
sonnig sunny
das **Souvenir(-s)** souvenir
Spanien Spain
spannend exciting
sparen to save
die **Sparkasse(-n)** bank
der **Spaß** fun
später later
die **Speisekarte(-n)** menu
der **Spiegel(-)** mirror
das **Spiel(-e)** play, game
spielen to play
der **Spinat** spinach
die **Spinne(-n)** spider
die **Sprechblase(-n)** speech bubble
die **Stadt (Städte)** town
die **Stadtmitte** town centre
der **Stadtrand** outskirts, suburbs
Staub saugen to vacuum
der **Steckbrief(-e)** description of personal details
die **Stereoanlage(-n)** hi-fi system
die **Stiefmutter(-mütter)** stepmother
der **Stiefvater(-väter)** stepfather
stimmen to be right, correct
das stimmt! that's right!
aus **Stoff** made from fabric
das **Stofftier(-e)** cuddly toy
der **Strand (Strände)** beach
die **Straßenbahn(-en)** tram
sich **streiten** to argue
wir streiten uns immer we're always arguing
streng strict
die **Strumpfhose(-n)** tights (*pl.*)
der **Stuhl (Stühle)** chair
die **Stunde(-n)** hour
suchen to look for
der **Süden** south

super great, excellent
der Supermarkt(-märkte) supermarket
die Süßigkeit(-en) sweet
das Sweatshirt(-s) sweatshirt
sympathisch nice

T

die Tabelle(-n) table, chart
der Tag(-e) day
das Tagebuch(-bücher) diary
täglich daily
der Takt tact
die Tankstelle(-n) petrol station
die Tante(-n) aunt
tanzen to dance
die Tasche(-n) bag, pocket
das Taschengeld pocket money
der Tee tea
die Telefonkarte(-n) telephone card
teuer expensive
das Theater(-) theatre
das Thema (Themen) topic
der Thunfisch tuna
das Tier(-e) animal
der Tierarzt(-ärzte) male vet
die Tierärztin(-nen) female vet
der Tisch(-e) table
die Toilette(-n) toilet
toll great, excellent
die Tomate(-n) tomato
die Tomatensoße(-n) tomato sauce
total totally
tragen to wear, carry
der Trainingsanzug(-züge) tracksuit
treffen to meet
Sport treiben to do sport
trennbar separable
trennen to separate
trinken to drink
der Tropf(-en) drop
das T-Shirt(-s) T-shirt
Turnen PE, gymnastics
die Turnschuhe (pl.) trainers

U

die U-Bahn(-en) underground train
die Übung (-en) activity, exercise
die Uhr(-en) watch, clock
um 13 Uhr at 1 o'clock
um at
die Umfrage(-n) survey
der Umschlag (Umschläge) envelope
die Umwelt environment
umweltfeindlich environmentally unfriendly
umweltfreundlich environmentally friendly
die Umweltverschmutzung pollution
unbequem uncomfortable
und and

unfreundlich unfriendly
ungeduldig impatient
ungerecht unfair
die Uniform(-en) uniform
unten below
unter beneath, underneath
der Urlaub holiday
usw. (und so weiter) etc.

V

der Vater (Väter) father
der Vegetarier(-) male vegetarian
die Vegetarierin(-nen) female vegetarian
vegetarisch vegetarian
verändern to change
verdienen to earn
vergessen to forget
der Verkäufer(-) male shop assistant
die Verkäuferin(-nen) female shop assistant
der Verkehr traffic
verloren to lose
vermischen to mix up
verstehen to understand
das Video(-s) video
viel/viele much/many
vier four
es ist Viertel vor/nach ... it's quarter to/past ...
der Vogel (Vögel) bird
von from
vor in front of

W

wählen to choose
der Wald (Wälder) wood
wandern to go for a walk, stroll
wann? when?
war/waren was/were
was? what?
waschen to wash
sich waschen to have a wash
das Wasser water
die Webseite(-n) web site
weg away
weh tun to hurt
wo tut es weh? where does it hurt?
weil because
weiß white
welcher/welche/welches? which?
der Wellensittich(-e) budgerigar
die Welt(en) world
wenig little
wer? who?
Werken handicrafts, woodwork
der Wettbewerb(-e) competition
das Wetter weather
der Wetterbericht weather report, forecast

wichtig important
wie? how?
wieder again
wiederholen to repeat
die Wiederholung(-en) revision
windig windy
der Winter(-) winter
das Wintergebiet(-e) winter area, winter region
wir we
wo? where?
die Woche(-n) week
das Wochenende(-n) weekend
wofür? what for?
wohin? where to?
wohnen to live
das Wohnmobil(-e) motor home
die Wohnung(-en) flat
der Wohnwagen(-) caravan
das Wohnzimmer(-) living room
wolkig cloudy
wollen to want
das Wort (Wörter) word
die Wortendung(-en) word ending
das Wörterbuch(-bücher) dictionary
die Wortstellung(-en) word order
das Würfelspiel(-e) word game
das Würstchen(-) sausage

Z

die Zahl(-en) number
der Zahn (Zähne) tooth
die Zahnpasta toothpaste
zehn ten
zeichnen to draw
zeigen to show
die Zeitschrift(-en) magazine
die Zeitung(-en) newspaper
der Zeitungskiosk(-e) newspaper kiosk
das Zelt(-e) tent
zerschneiden to cut up
der Zettel(-) note, bill, receipt
ziemlich quite, rather
die Zigarette(-n) cigarette
das Zimmer(-) room
der Zoo(-s) zoo
zu (zum/zur) to (a place)
zu Fuß on foot
zu Hause at home
der Zucker sugar
der Zug (Züge) train
zuhören to listen to
die Zukunft future
die Zusammenfassung(-en) summary
zwei two
am zweiten Mai on 2 May